中华人民共和国法律释义丛书

全国人民代表大会常务委员会法制工作委员会　编

中华人民共和国
可再生能源法释义

主　编：黄建初（全国人大常委会法制工作委员会经济法室主任）

副主编：岳仲明（全国人大常委会法制工作委员会经济法室副主任）

撰稿人：杨永明　宋　芳　曹兵兵
高　飞　施春风

法律出版社

图书在版编目(CIP)数据

中华人民共和国可再生能源法释义／全国人大常委会法制工作委员会编. --北京：法律出版社，2010.3(2018.11重印)
(中华人民共和国法律释义)
ISBN 978-7-5118-0533-1

Ⅰ.①中… Ⅱ.①全… Ⅲ.①再生资源：能源－能源法－法律解释－中国 Ⅳ.①D922.675

中国版本图书馆CIP数据核字(2010)第039324号

中华人民共和国可再生能源法释义
ZHONGHUA RENMIN GONGHEGUO KEZAISHENG NENGYUANFA SHIYI

全国人大常委会法制工作委员会 编

责任编辑 麦 锐
装帧设计 李 瞻

编辑统筹 法规出版分社
出版 法律出版社
开本 850毫米×1168毫米 1/32
总发行 中国法律图书有限公司
印张 9
经销 新华书店
字数 188千
印刷 北京玺诚印务有限公司
版本 2010年3月第1版
责任印制 吕亚莉
印次 2018年11月第2次印刷

法律出版社／北京市丰台区莲花池西里7号(100073)
网址／www.lawpress.com.cn
投稿邮箱／info@lawpress.com.cn
销售热线／010-83938336
举报维权邮箱／jbwq@lawpress.com.cn
咨询电话／010-63939796

中国法律图书有限公司／北京市丰台区莲花池西里7号(100073)
全国各地中法图分、子公司销售电话：
统一销售客服／400-660-6393
第一法律书店／010-83938334/8335 西安分公司／029-85330678 重庆分公司／023-67453036
上海分公司／021-62071639/1636 深圳分公司／0755-83072995

书号：ISBN 978-7-5118-0533-1 **定价**：46.00元
(如有缺页或倒装，中国法律图书有限公司负责退换)

总　序

人类文明的历史上，还没有哪一个时代像中国的改革开放40年一样，在历史长河中掀起如此巨大的浪花——它不仅深刻改变了一个国家的面貌与精神气质、使数亿人摆脱贫困，还极大地改变了世界格局。

1978，在那一年的年底，中共中央一次全体会议——十一届三中全会扭转了中国的前进方向，开辟了一个时代。回首过去，我们发现，一些观念从那时开始在中国出现，一些声音从那时开始逐渐响起，一些人物开始登上历史舞台。从这一年开始，随着"加强社会主义民主，健全社会主义法制"历史性任务的提出，"法制"两个字进入了人们的视野；政法机关开始恢复重建；法律院系开始蓬勃发展。一部部法律从庙堂走进了人们的生活，一次次裁决推动着国家前进的脚步。从"有法可依、有法必依、执法必严、违法必究"到"科学立法、严格执法、公正司法、全民守法"；从"法制"到"法治"；从法治观念的形成到"依法治国，建设社会主义法治国家"写进宪法，再到"法治国家、法治政府、法治社会一体建设"，人们对法治的认识步步深入，中国的改革不断向前推进，结出丰硕的果实。在中国共产党的带领下，这个励精图治的古老国度，再一次创造了改革的奇迹。

40年发生了无数故事,40年产生了许多事物。为了纪念这难忘的40年,本社组织编辑出版了一批“纪念改革开放40周年”主题图书。这些图书,将40年来颁布的重要法律及其释义甄选汇集,将法学领域有代表性的学术论文萃取精编,把有关政法机关的重建、法律院系的重生与发展进行展现,将一批被时代改变命运的人物再次唤起。我们希望从法律与法律人的视角,重新审视过去的40年,认真体会这不平凡的40年。

如江河东下,逝者如斯。岁月总会过去,人事总有代谢,但一个不平凡的时代留下的深刻痕迹,永远不会磨灭。“不忘初心,牢记使命”,习近平总书记在党的十九大报告中向全党发出的号召,使我们有理由期待,下一个40年,中国将更加惊艳!

法律出版社编辑委员会

2018年10月

出 版 前 言

《中华人民共和国法律释义丛书》是由全国人大常委会法制工作委员会组织编辑的一套系列丛书。

该套丛书由一系列法律释义组成。邀请有关专家、学者和部分参与立法的同志编著。该丛书坚持以准确地反映立法宗旨和法律条款内容为最基本要求,在每部法律释义中努力做到观点的权威性和内容解释的准确性。

我们相信,该套丛书的陆续出版,将会给广大读者进一步学好法律提供有益的帮助。

重 印 说 明

本次重印，是为改革开放40周年制作的特别纪念版，为了保持内容原貌，未对正文和附录作实质修改。个别法条内容有修订或修正的，以脚注形式作了标注。特此说明。

2018年10月

目　录

第一部分　释　义

第二部分　附　录

第一部分 释　义

第一章 总　则

本章总则内容共计5条,具体规定了本法的立法目的,可再生能源定义及调整范围,适用的地域范围,国家优先发展可再生能源,鼓励可再生能源的开发利用,保护可再生能源开发利用者的合法权益,以及可再生能源工作的管理体制。

第一条　为了促进可再生能源的开发利用,增加能源供应,改善能源结构,保障能源安全,保护环境,实现经济社会的可持续发展,制定本法。

【释义】　本条是关于本法立法目的的规定。

一、可再生能源,是指从自然界获取的、可以再生的非化石能源,包括风能、太阳能、水能、生物质能、地热能、海洋能等。我国可再生能源资源非常丰富,开发利用的潜力很大。我国濒临太平洋,季风强盛,海岸线长达18000多公里,内陆还有许多山系,改变了气压的分布,形成了分布很广的风能资源。全国约 20% 的国土面积具有比较丰富的风能资源，主要分布在东南沿海及其岛屿，西北、华北和东北“三北”地区，特别是新疆、甘肃和内蒙古等省区，风能资源极为丰富。我国大部分地区位于北纬 45° 以南，全国 2/3 的国土面积年日照时间在 2200 小时以上，每平方米太阳能年辐射总量为 3340～8400 兆焦，陆地表面每年接收到的太阳辐射能相当于 17000 亿吨标准煤，太阳能资源非常丰富。我国经济可开发的水能资源量为 4 亿千瓦，其中 5 万千瓦及以下的小水电资源量为 1.25 亿千瓦，分布非常广泛，遍及全国 30 个省（区、市）的 1600 多个县（市），尤以西南地区最为丰富，占全国的 50% 以上。生物质能主要有农、林生产及加工废物、工业废水和城市生活垃圾等。我国是一个农业大国，农业废物资源分布广泛，其中农作物秸秆年产量超过 6 亿吨，可作为能源用途的秸秆约 3.5 亿吨，可折合 1.5 亿吨标准煤，工业废水和禽畜养殖场废物，理论上可以生产沼气近 800 亿立方米，相当于 5700 万吨标准煤。薪炭林和林业及木材加工废物的资源量相当于 2 亿吨标准煤。目前，我国城市生活垃圾年产生量约 1.2 亿吨，预计 2020 年将达到 2.1 亿吨。如果将垃圾填埋回收气体或焚烧垃圾发电用于能源使用，每年可替代 1300 万吨标准煤。此外，一些油料作物还可用于制取液体燃料，主要有油菜籽、蓖麻、漆树、黄连木和甜高粱等，预计到 2020 年，我国以农业油料作物、木本油料作物以及能源作物种植等生物质资源用于生产生物柴油和乙醇燃料的潜力达 8000 万吨标准煤。初步估算，每年可利用生物质能源总量约 5 亿吨标准煤。地热能、海洋能等可再生能源资源，也具有一定的资源潜力和广泛的利用前景。

我国是煤炭、石油消费大国。改革开放以来，我国主要能源和初级产品的供求格局已发生较大变化，资源对经济发展的制约作用越来越大。随着全面建设小康社会目标的实现，我国能源需求还将大幅度增长，今后一个时期能源供应主要还将是煤炭，环境污染问题较严重；我国石油开采已近极限，新增的石油需求几乎全部要靠进口，国际油价的不断攀升，对我国经济势必产生较大影响。因此，在满足能源需求的条件下，调整能源结构，减少煤炭、石油的消费比重，增加可再生能源的利用是我国今后能源发展的一项战略任务。可再生能源法正是适应我国能源发展战略需要而制定的。可再生能源与煤炭、石油等化石能源不同，其特点是可以永续利用，资源量不会因使用而减少，且基本无环境污染。发达国家都十分重视发展可再生能源，政府采取各种扶持措施，降低成本，使之接近传统能源成本，以利于广泛推广使用。可再生能源法是从我国实际情况出发，将促进可再生能源的开发利用纳入法制轨道，并借鉴国外成功经验制定的。

二、能源是国民经济发展的重要基础，是人类生产和生活必需的基本物质保障。我国是一个能源生产大国，也是一个能源消费大国，在全面建设小康社会的进程中，能源供需矛盾日益突出。我国常规能源探明总资源量约 8200 亿吨标准煤，探明剩余可采总储量 1500 亿吨标准煤，约占世界探明剩余可采总储量的 10%，主要以煤炭资源为主，石油、天然气比例很小。从人均占有量来看，煤炭、石油和天然气分别为世界人均水平的 70%、10% 和 5%。2008 年全国能源消费总量达到 28.5 亿吨标煤，其中煤炭占 68.7%，石油占 18%，天然气占 3.4%，其他 9.9% 来自于核电、水电、风电、生物质能等新能源和可再生能源。到 2008 年，全国电力总装机为 7.93 亿千瓦，发电量和用电量分别为 34,502 亿和 34,669 亿千瓦时，其中煤电量占发电总量的 80.5%，水电占 16.9%。2003 年风电、生物质能发电等在电力总装机容量中仅占 0.2%，经过几年的快速发展，2008 年达到 2% 左右，发电量约为电力消耗量的 0.7% 左右。目前可再生能源占能源消费比重尽管还很小，但随着可再生能源技术的发展和扶持政策的完善，可再生能源对我国经济发展的作用会越发显现出来。从长远来看，常规能源资源不足已成为制约我国经济发展和能源发展的基本问题，并逐步成为我国经济社会可持续发展面临的突出问题。

保障边远农村地区的基本用电和基本用能，是制定可再生能源法的重要目的，具有现实意义，对实现消灭无电县和基本解决无电人口供电问题、农村电气化等目标，都将起到非常重要的作用，也是全面建设小康社会的一项目标。我国农村地区特别是贫困地区和少数民族地区大多还主要依赖传统生物质能，能源利用效率差，能源短缺也比较严重，现代优质能源特别是电力的短缺，已经成为这些地区生产发展和生活水平提高的重要制约因素。由于这些地区是大电网无法覆盖或者难以覆盖的地区，大多要依靠当地的可再生能源发电才能解决用电问题。改进传统生物质能开发利用,发展可再生能源,不仅能减少这些地区的能源短缺,提供更加优质清洁的能源,也为这些地区开发其丰富的可再生能源、脱贫致富开辟一个有效途径。因此,制定可再生能源法,促进可再生能源的开发利用也有利于加快农村地区特别是贫困地区和少数民族地区的发展,解决这些地区能源特别是优质能源的短缺问题。

三、我国能源供应主要依赖于煤炭,目前煤炭消费占全部一次能源消费总量的69%。我国石油、天然气资源也有限,只有通过扩大核电、可再生能源的开发利用来降低煤炭消费比例。根据我国矿产资源保证程度的评价,我国石油和天然气资源远不能满足需求,除了煤炭,将来可以依赖的能源资源主要是可再生能源。可再生能源资源丰富,分布广,可满足发电、供气、供热、制取液体燃料等多种用途,可替代煤炭、石油、天然气等多种能源,目前的开发利用量与其资源量相比还只是冰山一角。我国小水电、风力发电、太阳能热水器技术已经比较成熟,可较大规模地提供能源或替代化石能源,其他可再生能源也显示出良好的发展前景。因此通过大力发展可再生能源,替代煤炭,弥补石油、天然气的资源短缺,是我国长期能源发展战略和近期能源结构调整的重要选择。

四、尽管我国能源供应主要依赖于煤炭,但从长远来看,大力发展可再生能源可以逐步改善以煤炭为主的能源结构,促进常规能源资源更加合理有效地利用,缓解与能源相关的环境污染问题,随着可再生能源技术的成熟和产业的发展,可再生能源在未来能源结构中将发挥越来越显著的作用。据国际能源署(IEA)预测,到21世纪下半叶,可再生能源将逐渐取代化石能源而占据主导地位。可再生能源领域的技术创新能力,将是反映国家综合竞争能力的重要方面,也将是国家能源安全的重要保障。从可再生能源本身的特点看,可再生能源是一种本地能源,并基本上不受国际能源市场燃料价格波动的影响。20世纪70年代中东石油危机发生后,许多国家都把发展一定比例的可再生能源作为保障能源安全的一项重要措施。我国从1993起成为石油净进口国,随着我国经济的快速发展,我国将越来越受世界石油市场的不确定性和石油产区政局动荡的影响。开发利用可再生能源,并建立必要的技术贮备,可以在一定程度上减少我国对国外矿物能源的依赖,增强国家抗御能源安全风险的能力。

五、大量消费煤炭,特别是大量以终端直接燃烧方式消费煤炭,造成一系列环境污染和生态破坏问题。据不完全统计,全国90%的二氧化硫和70%的烟尘排放都是燃煤造成的,不仅造成土壤酸化、粮食减产和植被破坏,而且引发呼吸道疾病,直接威胁人民身体健康。煤炭燃烧产生的二氧化碳大量释放,也成为温室气体排放的主要来源。酸雨影响了我国1/3以上的土地,经济损失高达国内生产总值的2%。农村地区57%的能源来源于薪柴或农作物秸秆,传统的燃烧利用方式不仅效率低,而且造成森林植被破坏,水土严重流失。能源生产和消费引起的环境污染问题是目前面临的最紧迫的环境问题,已成为制约我国经济社会发展和能源发展的基本问题,必须大力发展可再生能源,逐渐降低煤炭消费在能源消费结构中的比重。

大力发展可再生能源是应对气候变化、适应和减少温室气体排放的重要途径。我国人大和政府高度重视应对气候变化工作。1992年6月我国政府签署了《联合国气候变化框架公约》,同年底全国人大常委会正式批准。2009年全国人大常委会通过了关于积极应对气候变化的决议,明确指出气候变化是环境问题,但归根到底是发展问题,必须按照党的十七大的要求,坚定不移地走可持续发展道路,从我国基本国情和发展的阶段性特征出发,采取有力的政策措施,积极应对气候变化。2007年国务院出台了应对气候变化国家方案。我国政府承诺到2020年,单位国内生产总值二氧化碳排放比2005年下降40%~45%。作为一个发展中国家,我国面临着发展经济、摆脱贫困、改善民生方面的艰巨任务,完成上述指标任务,必须大力发展可再生能源,保护和改善环境。

六、随着我国经济发展和工业化进程的推进,我国能源和电力需求将继续增长。据预测,到2020年能源需求将可能达到39~48亿吨标煤,电力需求将达到13~14亿千瓦和55,000~65,000亿千瓦时;到2050年,能源需求将有可能达到51~66亿吨标煤,电力需求有可能达到21~24亿千瓦。要可持续地满足经济发展对能源的需要,除了切实转变经济增长方式,努力提高能源利用效率,全面建设高效和节能型社会外,还必须从现在开始就高度重视可再生能源的开发利用问题。可再生能源与化石能源相比的优点是可再生能源资源量不因使用而减少,可永续利用,符合可持续发展的要求。因此，可再生能源法的制定，对促进能源可持续供应和经济社会的可持续发展具有重要意义。

第二条　本法所称可再生能源，是指风能、太阳能、水能、生物质能、地热能、海洋能等非化石能源。

水力发电对本法的适用，由国务院能源主管部门规定，报国务院批准。

通过低效率炉灶直接燃烧方式利用秸秆、薪柴、粪便等，不适用本法。

【释义】 本法是关于可再生能源定义和本法适用范围的规定。

一、可再生能源是指从自然界获取的、可以再生的非化石能源，主要包括水能、太阳能、风能、生物质能、地热能和海洋能。可再生能源的共同特征有：一是资源丰富、可再生，可供人类永续利用；二是能量密度低，开发利用通常需要较大空间；三是不含碳或含碳量很少，对环境影响小；四是分布广泛，有利于小规模分散式利用；五是间断式，波动性大，对连续性应用不利。由此，可再生能源与化石能源相比的优点是可再生能源资源量不因使用而减少（或可周期性地得到补充），可永续利用，对环境无害或危害极小，且资源分布广泛，适宜就地开发。这些优点对调整能源结构，扩大能源供应多样性和能源安全，改善和保护环境都有重要作用，也符合可持续发展的要求。可再生能源的不足是它具有间歇性，波动性大，对连续使用不利。另外，目前可再生能源的开发利用成本较化石能源高（水电除外），随着可再生能源技术和产业的发展，可再生能源在能源发展中将占据重要地位。因此，各国特别是发达国家都通过制定可再生能源方面的法律，克服各种不利因素，促进可再生能源的开发利用。从国外立法情况看，可再生能源大体包括水能、太阳能、风能、生物质能、地热能、海洋能，但各国都根据本国可再生能源和技术发展情况，对不同的可再生能源的发展有所侧重。我国可再生能源法正是从我国能源发展实际情况出发，并在吸收国外立法经验的基础上制定的。

1. 风的产生来自于太阳的热的作用，风能是风所负载的能量，风能的大小决定于风速和空气的密度。人类利用风能已有几百年的历史，过去主要是利用风力提水和粉碎谷物。如今，风能的主要利用方式是风力发电，即通过叶片将风流动的能量转化为机械能，再带动发电机发电。风力发电的特点是只要有风的地方就可以发电，它占地少，且不受水资源的限制。根据最新风能资源评价，全国陆地可利用风能资源3亿千瓦，加上近岸海域可利用风能资源，共计约10亿千瓦。主要分布在两大风带：一是“三北地区”（东北、华北北部和西北地区）；二是东部沿海陆地、岛屿及近岸海域。

风力发电是可再生能源开发中技术最成熟、最具规模化开发和商业化发展的发电方式。发达国家已把风电作为未来化石能源的主要替代能源。我国的并网风电从20世纪80年代开始发展，“十五”和“十一五”期间，风电发展非常迅速，总装机容量从2000年的35万千瓦增长到2008年的1250万千瓦,年均增长率达到55%,取得举世瞩目的成效,风力发电技术也基本成熟。近年来,并网风电机组的单机容量不断增大,2005年新增风电机组的平均单机容量超过1000千瓦,单机容量4000千瓦的风电机组已投入运行。2008年我国风电装机容量在世界位居第四。随着风电的技术进步和应用规模的扩大,风电成本持续下降,目前其投资约为8000~15000元/千瓦(包括陆地和海上),发电成本约为0.4~0.7元/千瓦时,经济性与常规能源已十分接近。从2008年风电厂的运行情况看,大部分都是盈利的。但我国风电在自主技术方面还存在很大不足,关键零部件仍依赖进口,海上风电才刚刚起步。

我国风力发电资源具有明显的季节特征,冬春两季风力发电出力高,夏秋两季出力小,这一点正好弥补我国水力发电夏秋出力大、冬春出力小的缺陷。因此发展风电可以利用风水互补的优势,在一定程度上弥补我国水电冬春两季枯水期发电电力和电量的不足。

2. 大部分可再生能源,都直接地或间接地来自太阳的作用。太阳能是指太阳所负载的能量。阳光,或太阳能可以直接用来给住房和建筑加热和照明,也可以用来发电、提供热水、制冷,以及用于不同的商业和工业目的。太阳能的计量一般以阳光照射到地面的辐射总量,包括太阳的直接辐射和天空散射辐射的总和来计算。它受地理位置和地面反射等因素的影响,各地差异较大。我国太阳能较丰富的区域占国土面积的2/3以上,年辐射量超过60亿焦耳/平方米,每年地表吸收的太阳能大约相当于1.7万亿吨标准煤的能量，具有良好的太阳能利用条件，特别是西北、西藏和云南等地区，太阳能资源极为丰富。

太阳能的利用方式主要有：太阳能光伏发电（将太阳能直接转为电能）、太阳能热发电（利用太阳的热能产生电能），以及太阳能热水器和太阳房等。目前在我国广泛应用的太阳能利用技术主要是太阳能热水器，其他利用方式有的成本较高、有的尚处研发阶段。太阳能热水器主要用于提供生活洗浴热水。到2008年，我国的太阳能热水器累计安装集热面积达到12500万平方米，年产能4000万平方米，2008年产量3100万平方米，目前我国太阳能热水器的生产量和使用量均居世界第一。近年来，随着与建筑结合技术水平的不断提高，我国建设完成了一批太阳能热水器与建筑结合项目。除了太阳能热水器外，太阳能供暖、制冷空调、海水淡化、工业加热等诸多领域，已经开始前期的研究和示范系统建设工作。

太阳能光伏发电技术主要有晶体硅发电和薄膜电池发电。晶体硅发电效率为15%～20%，投资为25,000～30,000元/千瓦，大规模发展需降到15,000～20,000元/千瓦。薄膜电池发电的效率不高，只有5%～10%，但成本低，为15000元/千瓦。太阳能光伏发电特点是适用性较强，可以应用于边远、沙漠地区。光伏发电最初作为独立的分散电源使用，近年来并网光伏发电的发展速度加快，市场容量已超过独立使用的分散光伏电源。2008年年底，我国年产电池200万千瓦，国内装机4万千瓦，光伏发电容量累计达到15万千瓦，其中

55%为独立光伏发电系统，主要用于解决电网覆盖不到的偏远地区居民用电问题。我国太阳能光电板的生产量已经是世界第一。

3. 风和太阳的热引起水的蒸发，水蒸气形成了雨和雪，雨和雪的降落形成了河流和小溪，水的流动产生了能量，称为水能，通过捕获水流动的能量发电，称之为水电。我国水能资源丰富，理论蕴藏量和经济可开发量均居世界首位。根据2003年全国水能资源复查成果，全国水能资源技术可开发装机容量为5.42亿千瓦，年发电量2.47万亿千瓦时，经济可开发装机容量为4亿千瓦，年发电量1.75万亿千瓦时。按经济可开发年发电量重复使用100年计算，水能资源占我国常规能源剩余可采储量的40%，仅次于煤炭。到2008年年底，全国水电总装机容量达1.72亿千瓦，占全国总发电装机容量的21.7%，年发电量为5633亿千瓦时，占全国总发电量的16.3%。其中小水电装机容量约5700万千瓦，年发电量约1900亿千瓦时，担负着全国近1/2国土面积、1/3的县、1/4人口的供电任务。我国水电勘测、设计、施工、安装和设备制造均达到国际水平，已形成完备的产业体系。水力发电是广泛应用的能源技术。目前水电站的发电量约占全世界发电总量的6%，主要来自大河流的大型发电装置。大型水电装置过去一直是水电发展的重点。为了能最大限度开发利用水力资源潜力，减少其对环境的不良影响，国际社会转而支持开发利用小河流的小水电。

小水电（指总装机容量小于或等于5万千瓦的水电站，我国一般统计将小水电列为可再生能源）是我国可再生能源发电的主体。目前小水电发电量占我国可再生能源发电量比重在95%以上；小水电不仅成为我国农村能源的重要组成部分（2002年占县及县以下发电设备装机容量的55%，小水电建设解决了3亿无电人口的用电问题，特别是对农村偏远地区的用电问题发挥了非常重要的作用），也是我国电力工业的重要组成部分。我国小水电装机容量约占世界小水电总装机容量的50%。

4.植物的生长离不开阳光、雨和雪。有机质是这些植物的构成，称之为生物质。生物质能是指利用自然界的植物、粪便以及城乡有机废物转化成的能源，如薪柴、林业加工废弃物、农作物秸秆、城市有机垃圾、工农业有机废水和其他野生植物等都可转化成能源。目前，我国每年可作为能源使用的农作物秸秆资源量约为1.5亿吨标准煤，林业剩余物资源量约2亿吨标准煤，小桐子（麻疯树）、油菜籽、蓖麻、漆树、黄连木和甜高粱等油料植物和能源作物潜在种植面积，理论上可满足年产5000万吨生物液体燃料的原料需求。工业有机废水和禽畜养殖场废水资源量，理论上可以生产沼气近800亿立方米，相当于5700万吨标准煤。

生物质能是人类利用历史最悠久和生产生活最基本的能源。目前，产业化水平较高、利用规模较大的生物质技术主要有：生物质能发电技术（利用农林生产及加工废弃物、垃圾焚烧发电、垃圾填埋气发电和沼气发电等）、供气技术（沼气发酵和农林废弃物热解汽化技术）、液体燃料技术（以速生植物为原料的乙醇燃料和生物柴油的制取技术)。到2008年年底,我国生物质发电装机容量315万千瓦,已经建设农村户用沼气池2800多万口,畜禽养殖场和工业废水沼气工程达到8000多处,年产沼气约120亿立方米。

生物质能是目前最普遍使用的可再生能源,在我国广大农村的生活用能方面一直发挥着重要作用。开发利用生物质能不仅可以缓解广大农村生活用能紧张状况、改善农村生产生活条件,还可以减少对生态植被的破坏,保护生态环境。开发利用生物质能关键是资源的采集应当针对不同类型的生物质资源情况,运用环保措施和市场经济的办法建立生物质资源的采集机制,保证生物质资源的有效供应。

5. 地热能是指来源于地球内部的热量。据专家估算,地球陆地以下5公里内,15摄氏度以上岩石和地下水总含热量达1.05×10^{25}焦耳,相当于9950万亿吨标准煤。按世界能耗100亿吨标准煤计算,可满足人类几万年能源之需要。地热能利用可分为发电利用和直接利用两个方面。我国高温地热资源地区分布有限,主要集中在西藏、云南的横断山脉一线,已经进行了资源勘探和开发的地区,主要集中在西藏的羊八井和云南的腾冲。据统计,到2008年年底,我国地热发电装机为2.5万千瓦,主要集中在西藏;直接利用地热发展也比较快,2006年我国开采地热水4.6亿立方米。开发地热资源必须进行科学论证,采取技术措施,防止因资源的过量开采带来的地下水下降、地面沉降等问题。

6. 海洋能主要包括潮汐能、波浪能、温差能、盐差能和海流能等。海洋通过各种物理过程接收、储存和散发能量，这些能量以潮汐、波浪、温度差、盐度梯度、海流等形式存在于海洋之中。例如，潮汐的形成源于月亮和太阳对地球的引力作用，涨潮和落潮之间所负载的能量称之为潮汐能；潮汐和风又形成了海洋的波浪，从而产生了波浪能；太阳照射在海洋的表面，使海洋的上部和底部形成了温差，由此而形成的能量称之为温差能。所有这些形式的海洋能都可以用来发电。我国已经建设了潮汐电站，进行新的潮汐发电技术的研究和示范。自“七五”开始，我国开始开发波浪能利用技术，2008 年年底我国已拥有 100 千瓦、20 千瓦岸式振荡水柱波能装置各一座，1 千瓦以下装置 700 多个。

二、水能资源是世界能源的重要组成部分，水能发电提供着全球 1/5 的电力需求。优先发展水电是中国能源发展的重要方针。比起美国等发达国家，我国水能资源开发利用还不到 25%。当然水能开发在为人类提供清洁能源的同时，也带来一些负面影响。水电建设要截断河流、建坝，淹没土地，迁移人口，不可避免地对环境造成一些影响。因此，我国的水电建设应当不断总结国内外经验，科学辩证地认识水电的作用，妥善处理水电开发中的环保问题，促进人与自然的和谐发展，这也是世界性的课题。各国能源情况不同，经济发展阶段不同，对水能资源的开发利用程度及扶持政策也不尽相同。考虑到发展水电涉及的政策性较强，同时与其他可再生能源相比水电技术成熟且成本较低。因此，本条第二款对水力发电适用本法的问题作出了特别规定，即水力发电对本法的适用，由国务院能源主管部门规定，报国务院批准。水力发电对本法的适用交由国务院能源主管部门具体处理，有利于根据我国能源发展情况促进水电建设的健康发展。

三、本条第三款规定，通过低效率炉灶直接燃烧方式利用秸秆、薪柴、粪便等，不适用本法。低效率炉灶直接燃烧方式就是通过直接燃烧方式利用秸秆、薪柴、粪便等。生物质能源是我国农村大多数地区的生活燃料，我国的生物质能源消耗量达3亿多吨标准煤，其中90%以传统的方式直接燃烧，只有不到10%转化为气体或电力使用。直接燃烧生物质能源，能效低，污染环境。可再生能源作为国家鼓励促进其开发利用的清洁能源，将能效利用低且污染环境的传统燃烧生物质方式排除在本法适用的生物质能外，是必要的，也符合国际的通常做法。

第三条　本法适用于中华人民共和国领域和管辖的其他海域。

【释义】　本条是关于本法适用的地域范围的规定。

一、本法规定的地域适用范围是中华人民共和国领域和管辖的其他海域。其中“中华人民共和国领域”，是指我国行使主权和排他性管辖权的空间（即我国的领土范围）。包括国家疆界以内的陆地、水域及其上空和底土，即由领陆、领水及领水的底土、上空所组成。“管辖的其他海域”，是指我国在领海以外的邻接领海并属我国专属管辖的一定宽度的海域，即毗连区、专属经济区和大陆架等。管辖的其他海域，是国家行使特定的主权权利和专属管辖权的空间，也是国家及其公民生存和发展的物质基础的重要组成部分。管辖的其他海域，无论对沿海国还是对其他国家都意味着巨大的经济利益和战略地位。

二、本法的适用有一个例外。我国对设立的香港特别行政区和澳门特别行政区，分别制定并实施了香港特别行政区基本法和澳门特别行政区基本法，根据该两部特别行政区基本法的规定，只有列入基本法附件的全国性法律，才能在特别行政区适用，其他未被列入附件的全国性法律不适用于香港和澳门特别行政区。可再生能源法未被列入上述两部特别行政区基本法的附件中。因此，可再生能源法在我国的香港和澳门特别行政区不适用。

第四条　国家将可再生能源的开发利用列为能源发展的优先领域，通过制定可再生能源开发利用总量目标和采取相应措施，推动可再生能源市场的建立和发展。

国家鼓励各种所有制经济主体参与可再生能源的开发利用，依法保护可再生能源开发利用者的合法权益。

【释义】　本条是关于国家采取措施推动可再生能源市场的建立和发展的规定。

一、世界上许多国家均把开发利用可再生能源作为解决未来能源安全的重要战略途径。从发达国家的经验和我国的实践看，只有明确政府在可再生能源发展中的责任，并相应规定公众的有关义务，才能推动可再生能源的开发利用进入大规模的商业化阶段,使之能与常规能源开展竞争。虽然我国可再生能源的开发利用起步较晚,但在政府的大力推动下,可再生能源的开发利用取得了明显的成效。政府推动可再生能源开发利用的主要职责是制定市场规则、规范市场运行、促进市场发展等,为可再生能源同常规能源竞争创造公平的市场环境,引导和鼓励各类经济主体积极参与到可再生能源的开发利用中来。

二、本条第一款规定包含三层意思:一是将可再生能源的开发利用列为能源发展的优先领域。可再生能源对调整能源结构,保护环境,实现可持续发展具有重要作用,随着可再生能源的技术和产业的发展,可再生能源对我国能源安全的作用也会越来越突出。因此在坚持节能优先和提高能效的同时,将可再生能源的开发利用列为能源发展的优先领域是必要的,将有利于推动可再生能源的开发利用。二是制定可再生能源开发利用总量目标。本法对制定并公布全国和省(区市)的可再生能源中长期总量目标和可再生能源开发利用规划作了规定,总量目标和开发利用规划建立在科学论证的基础上,并有法律作保证,是促进可再生能源开发利用,发展可再生能源市场的有效措施。三是采取相应措施,是指国家除将可再生能源的开发利用列为能源发展的优先领域,并制定可再生能源发展总量目标外,还要采取其他具体的经济激励措施,推动可再生能源市场的建立和发展。

我国政府十分重视能源的可持续发展和可再生能源的开发利用,把发展新能源特别是可再生能源作为调整能源结构与产业结构、培育新兴产业、保障能源安全和应对气候变化的重要战略途径。为此,国家出台了一系列促进可再生能源开发利用方面的规定。如在科技研究和示范推广方面,国家从“六五”至“十一五”科技攻关计划中都安排了新能源和可再生能源项目。在国民经济和社会发展“九五”、“十五”和“十一五”规划纲要中也都明确规定,要加快发展风能、太阳能、生物质能等可再生能源。在科学论证的基础上,制定了《可再生能源中长期发展规划》《可再生能源十一五发展规划》,明确了可再生能源发展总量目标,通过国家的和省级的可再生能源发展规划来具体实施可再生能源发展总量目标。国家发改委发布了《可再生能源产业指导目录》,对国家鼓励的可再生能源产业、技术和装备及其技术指标进行了简要说明,为进一步制定实施的相关产业政策和财税鼓励政策奠定了基础。我国电力法、节约能源法、农业法、大气污染防治法等对鼓励开发利用清洁能源、可再生能源作了原则规定。这些规定和措施对推动可再生能源市场的建立和发展起到了重要作用,使我国可再生能源产业得到了较快发展。

三、国家鼓励各种所有制经济主体参与可再生能源的开发利用,依法保护可再生能源开发利用者的合法权益。目前,从总体上看,可再生能源产业整体实力不强,市场竞争能力弱,一些阻碍产业发展的关键问题还未从根本上解决,产业化发展面临技术、资金、市场机制等各方面的障碍。在这种情况下,完全靠国家投资来促进可再生能源的开发利用是难以做到的。因此,在逐步提高对可再生能源资金投入的同时,还要发挥市场机制的作用，鼓励各种所有制经济主体参与可再生能源的开发利用，用政策为可再生能源的开发利用提供良好的、公平的市场环境。这里讲的“各种所有制”从所有制形式来讲，包括两种形式：一是公有制，二是非公有制；从资金来源讲，既包括内资，也包括外资。宪法规定，公有制为主体、多种所有制经济共同发展是我国社会主义初级阶段的基本经济制度。改革开放以来，我国个体、私营等非公有制经济不断发展壮大，已经成为社会主义市场经济的重要组成部分和促进社会生产力发展的重要力量。2005 年《国务院关于鼓励支持和引导个体私营等非公有制经济发展的若干意见》中明确提出，放宽非公有制经济市场准入，允许非公有资本进入垄断行业和领域。加快垄断行业改革，在电力、电信、铁路、民航、石油等行业和领域，进一步引入市场竞争机制。对其中的自然垄断业务，积极推进投资主体多元化，非公有资本可以参股等方式进入；对其他业务，非公有资本可以独资、合资、合作、项目融资等方式进入。在国家统一规划的前提下，除国家法律法规等另有规定的外，允许具备资质的非公有制企业依法平等取得矿产资源的探矿权、采矿权，鼓励非公有资本进行商业性矿产资源的勘查开发。

可再生能源是一个新兴产业，资金短缺又缺乏融资机制是产业化发展的重要障碍，迫切需要建立有效的融资渠道和探索各种融资方式。非公有制经济主体数量多、融资渠道广，国家对可再生能源的开发利用给予鼓励、支持，允许并鼓励各种所有制经济主体参与可再生能源的开发利用，将极大地调动各种所有制经济主体以投资等形式参与到可再生能源的开发利用。这两年我国对风力发电进行了特许权经营的招标，有一些国内民营企业脱颖而出中标，为我国风电市场的建立和发展注入了新的活力。依法保护可再生能源开发利用者的合法权益，就是要严格执行保护合法私有财产的法律，任何单位和个人不得侵犯他们的合法财产；可再生能源开发利用者依法进行的生产经营活动，任何单位和个人不得干预，其合法权益受到侵害时可以依法提出行政复议和诉讼。

第五条 国务院能源主管部门对全国可再生能源的开发利用实施统一管理。国务院有关部门在各自的职责范围内负责有关的可再生能源开发利用管理工作。

县级以上地方人民政府管理能源工作的部门负责本行政区域内可再生能源开发利用的管理工作。县级以上地方人民政府有关部门在各自的职责范围内负责有关的可再生能源开发利用管理工作。

【释义】 本条是关于可再生能源开发利用的管理体制的规定。

一、可再生能源法是一部鼓励促进可再生能源开发利用的法律。可再生能源产业的健康发展需要政府的推动、引导，政府的推动、引导与充分发挥市场的作用相结合，才能有效促进可再生能源的开发利用。政府推动、引导可再生能源开发利用的主要职责是制定发展目标和规划、经济激励措施、市场规则、技术标准等。在国务院能源主管部门实施统一管理的同时明确各有关部门的职责，符合当前我国的实际情况，既有利于可再生能源开发利用工作的组织领导，也有利于发挥各方推动可再生能源开发利用的积极性，是本法有效实施的重要保障。依照国务院有关部门的职责分工，本条对可再生能源开发利用的管理体制作出了规定。通常情况下，法律中一般不出现具体主管部门的名称。本法规定的“国务院能源主管部门”，具体是指国家能源局；“县级以上地方人民政府管理能源工作的部门”，是指承担政府行政管理职能的管理能源工作的部门，具体由哪个部门负责，由县级以上地方政府根据本地实际情况决定。

二、按照目前国务院部门的职责分工和“三定方案”，国务院能源主管部门即国家能源局在能源管理方面的职责包括：一是研究提出能源发展战略的建议，拟订能源发展规划、产业政策并组织实施，起草有关能源法律法规草案和规章，推进能源体制改革，拟订有关改革方案，协调能源发展和改革中的重大问题；二是负责煤炭、石油、天然气、电力、新能源和可再生能源等能源的行业管理，组织制定能源行业标准，监测能源发展情况，衔接能源生产建设和供需平衡，指导协调农村能源发展工作；三是负责能源行业节能和资源综合利用，组织推进重大能源设备研发，指导能源科技进步、成套设备的引进消化创新，组织协调相关重大示范工程和推广应用新产品、新技术、新设备；四是负责能源预测预警，发布能源信息，参与能源运行调节和应急保障；五是参与制定与能源相关的资源、财税、环保及应对气候变化等政策，提出能源价格调整和进出口总量建议等。能源是国民经济发展的重要基础，是人类生产和生活必需的基本物质保障。可再生能源作为能源的组成部分，由国务院能源主管部门对全国可再生能源的开发利用实施统一管理是必要的。

三、可再生能源的开发利用涉及科技、农业、水利、国土资源、建设、环境保护、林业、海洋、气象等有关部门，因此，本条还规定，国务院有关部门和县级以上地方人民政府有关部门在各自的职责范围内负责有关的可再生能源开发利用管理工作。这样规定比较符合实际，可以充分发挥各有关部门的作用，全面和有效地促进可再生能源的开发利用和管理。这里讲的“各自的职责范围内”，主要是指法律和国务院规定的各有关部门的相关职责。国务院能源主管部门和地方政府的有关部门应当各负其责，密切配合，共同做好促进可再生能源开发利用的管理与服务工作。

第二章 资源调查与发展规划

本章共4条，主要对可再生能源资源调查、可再生能源开发利用总量目标和可再生能源开发利用规划作了规定。可再生能源资源调查是可再生能源开发利用的基础性工作。在此基础上，根据我国能源发展规划，制定可再生能源开发利用总量目标与发展规划。可再生能源开发利用总量目标和发展规划是我国可再生能源发展战略的具体体现，有关促进可再生能源开发利用的措施，是围绕总量目标按照规划来实现的。

第六条 国务院能源主管部门负责组织和协调全国可再生能源资源的调查，并会同国务院有关部门组织制定资源调查的技术规范。

国务院有关部门在各自的职责范围内负责相关可再生能源资源的调查，调查结果报国务院能源主管部门汇总。

可再生能源资源的调查结果应当公布；但是，国家规定需要保密的内容除外。

【释义】 本条是关于可再生能源资源调查的规定。

一、可再生能源资源调查，是对我国可再生能源的资源量和分布进行全面的调查了解，是可再生能源开发利用的基础条件。资源调查工作的内容，包括制订调查的方法、指标、评价方法和组织形式，目的是查清我国可再生能源资源的种类、结构、数量、质量分布，掌握资源消长变化的规律，客观反映自然、经济条件，进行综合评价，并提出资源详查和精查的地区和开发利用的重点、图面材料、统计资料和调查报告等材料。可再生能源资源调查的目的是全面客观地掌握可再生能源资源的自然状况和开发利用现状，以及未来的发展趋势，客观反映可再生能源资源开发利用中存在的问题。可再生能源资源调查的结果是制定可再生能源开发利用中长期目标的主要依据。

国务院能源主管部门积极开展全国可再生能源资源的调查。例如，国家发展改革委、财政部、中国气象局于 2007 年 6 月就开展风能资源详查和评价工作发出通知。开展风能资源详查和评价工作的目标是：建立集风能资源专业观测网、数值模拟和综合评价为一体的国家风能资源评价体系，培养风能资源评价专业技术队伍。在风能资源详查和评价的基础上，结合地形、交通、电网等条件，提出总装机容量约 5000 万千瓦风电场项目储备。主要工作内容是：建立风能资源专业观测网、开展高分辨率风能资源数值模拟计算、开展风能资源综合评价、开展风电场工程综合评价、建立风能资源数据库和风电场工程数据库。

二、开展可再生能源资源调查并向社会公布调查结果是政府的一项职责，其目的是让单位和个人了解我国可再生能源资源情况，给可再生能源开发利用者明确的信息。可再生能源资源调查是一项涉及多部门、多学科的工作，为避免重复调查造成浪费，作为对全国可再生能源的开发利用实施统一管理的部门，国务院能源主管部门负责统一组织和协调资源调查工作，并会同国务院有关部门组织制定资源调查的技术规范；国务院有关部门在各自的职责范围内负责相关可再生能源资源的调查，调查结果报国务院能源主管部门汇总。

可再生能源资源的调查结果是国家基本资料的重要组成部分，为了充分发挥可再生能源资源资料的作用，加快可再生能源的发展，更好地为国民经济和社会发展服务，可再生能源资源的调查结果应当向社会公布；但是，对于国家规定需要保密的可再生能源资源的调查结果，依照有关法律法规的规定，不能公布。

三、我国可再生能源资源调查的情况

1. 水能。我国经济可开发的水能资源量为 4 亿千瓦，年发电量 1.75 万亿千瓦时，其中 5 万千瓦及以下的小水电资源量为 1.25 亿千瓦，分布非常广泛，遍及全国 30 个省（区、市）的 1600 多个县（市），尤以西南地区最为丰富，占全国的 50%以上。

2. 风能。我国濒临太平洋，季风强盛，海岸线长达 18000 多公里，内陆还有许多山系，改变了气压的分布，形成了分布很广的风能资源。据国家气象部门多年观测资料显示，我国陆地 10 米高程的理论风能资源总储量为 32.26 亿千瓦，平均风能密度 100～200 瓦/平方米，全年有效风速累计达 3000～6000 小时。经济可开发利用的风能资源为 2.53 亿千瓦，主要分布在东南沿海及岛屿、新疆、甘肃、内蒙古和东北地区。此外，我国海上风能资源也很丰富，初步估计是陆地风能资源的3倍左右，可开发利用的资源总量约为7.5亿千瓦。

3.生物质能。利用薪柴、沼气、生物质气化气、生物柴油、燃料乙醇、林业加工废弃物、农作物秸秆、城市有机垃圾、工农业有机废水和其他野生植物等自然界的植物、粪便以及城乡有机废物转化成的生物质能使用非常普遍。我国是一个农业大国，农业废物资源分布广泛，其中农作物秸秆年产量超过6亿吨，可作为能源用途的秸秆约3.5亿吨，可折合1.5亿吨标准煤，工业废水和禽畜养殖场废物理论上可以生产沼气近800亿立方米，相当于5700万吨标准煤。薪炭林和林业及木材加工废物的资源量相当于2亿吨标准煤。目前，我国城市生活垃圾年产生量约1.2亿吨，预计2020年将达到2.1亿吨。如果将垃圾填埋回收气体或焚烧垃圾发电用于能源使用，每年可替代1300万吨标准煤。生物质能转换为能源的形式之一是生物质发电，包括农林生物质、垃圾和沼气发电等。生物质发电技术主要有混燃、纯燃和沼气发电。此外，一些油料作物还可用于制取液体燃料，主要有油菜籽、蓖麻、漆树、黄连木和甜高粱等。全国农村已有户用沼气池2800多万口，畜禽养殖场和工业废水沼气工程达到8000多处，年产沼气约120亿立方米。

4.太阳能。我国大部分地区位于北纬45度以南，太阳能资源非常丰富，全国2/3的国土面积年日照时间在2200小时以上，每平方米太阳能年辐射总量为3340～8400兆焦，陆地表面每年接收到的太阳辐射能相当于17000亿吨标准煤，其平均值大约为5860兆焦/平方米。以5860兆焦/平方米为等值线，则自大兴安岭西麓的内蒙古东北部开始，向南经过北京的西北侧，朝西偏南至兰州，再沿横断山脉转向西藏南部，把中国分为两大部分。其西北地区高于5860兆焦/平方米，东南则低于5860兆焦/平方米。太阳能的利用方式主要有：光伏（太阳能电池）发电系统，将太阳能直接转换为电能；太阳能聚热系统，利用太阳的热能产生电能；被动式太阳房；太阳能热水系统；太阳能取暖和制冷。

5. 地热能。我国地热资源的储存条件也较好，主要集中在西藏、云南的横断山脉一线，其远景储量相当于2000亿吨标准煤以上。

此外，我国海洋能等可再生能源资源，也具有一定的资源潜力和利用前景。

第七条　国务院能源主管部门根据全国能源需求与可再生能源资源实际状况，制定全国可再生能源开发利用中长期总量目标，报国务院批准后执行，并予公布。

国务院能源主管部门根据前款规定的总量目标和省、自治区、直辖市经济发展与可再生能源资源实际状况，会同省、自治区、直辖市人民政府确定各行政区域可再生能源开发利用中长期目标，并予公布。

【释义】　本条是关于可再生能源开发利用中长期总量目标的规定。

一、我国可再生能源产业总体上还处在产业发展的初级阶段。对这种具有战略性、长期性、高风险、低收益的新型基础产业，在尊重市场规律的基础上，需要政府在一定发展阶段给予积极的推动。政府推动的一个重要手段就是提出一个阶段性的可再生能源发展总量目标，给市场一个明确的信号，以引导形成一定规模的市场需求。可再生能源开发利用总量目标制度就是用法律形式对可再生能源的总量或者在能源结构中的比例所作出的强制性规定。这一目标可以是绝对量目标，如规定一定时期内可再生能源的发展总量，也可以是相对量目标，如规定一定时期内可再生能源在整个能源结构中的比例。世界上有不少国家采取立法方式规定了可再生能源发展的具体目标。

二、可再生能源开发利用总量目标制度要求政府有关部门根据可再生能源开发利用的资源条件、经济承受能力、能源需求状况等多种因素，提出一定阶段内的可再生能源的发展目标，以明确可再生能源开发利用的市场规模，引导投资和技术发展的方向，并通过统一规划、强制入网、全额保障性收购等法律制度，保证总量目标的实现。我国的可再生能源开发利用目标制度包括全国中长期总量目标和省级中长期目标。全国可再生能源开发利用中长期总量目标由国务院能源主管部门根据全国能源需求与可再生能源资源实际状况制定，报国务院批准后执行。省级可再生能源开发利用中长期目标由国务院能源主管部门根据全国可再生能源开发利用中长期总量目标和省、自治区、直辖市经济发展与可再生能源资源实际状况，会同省、自治区、直辖市人民政府确定。可再生能源开发利用目标对可再生能源发展具有指导作用，也具有法律约束力，应当保证完成。

三、国家发改委于2007年发布了关于可再生能源中长期发展规划，提出今后一个时期，中国可再生能源发展的重点是水能、生物质能、风能和太阳能。我国将加快可再生能源电力建设步伐，到2020年建成水电3亿千瓦、风电3000万千瓦、生物质发电3000万千瓦、太阳能发电180万千瓦，建成太阳能热水器面积3亿平方米，积极发展非粮生物液体燃料，到2020年形成年替代1200万吨石油的能力。2008年国家发改委专门制定了《可再生能源发展“十一五”规划》，对“十一五”时期水电、风电、生物质能、太阳能农村可再生能源等的发展目标作了具体规定。2009年中国政府又庄严承诺，大力发展可再生能源，争取2020年非化石能源（包括可再生能源、核能等）占一次能源消费比重达到15%。

除了全国中长期总量目标外，国务院能源主管部门根据全国总量目标和各省、自治区、直辖市经济发展与可再生能源资源实际状况，会同各省、自治区、直辖市人民政府也确定各行政区域可再生能源开发利用中长期目标。例如根据《陕西省生物质能开发利用规划（2007－2020）》，预计到2020年该省生物质能年利用量占到一次性能源消费量的4%。

第八条　国务院能源主管部门会同国务院有关部门，根据全国可再生能源开发利用中长期总量目标和可再生能源技

术发展状况，编制全国可再生能源开发利用规划，报国务院批准后实施。

国务院有关部门应当制定有利于促进全国可再生能源开发利用中长期总量目标实现的相关规划。

省、自治区、直辖市人民政府管理能源工作的部门会同本级人民政府有关部门，依据全国可再生能源开发利用规划和本行政区域可再生能源开发利用中长期目标，编制本行政区域可再生能源开发利用规划，经本级人民政府批准后，报国务院能源主管部门和国家电力监管机构备案，并组织实施。

经批准的规划应当公布；但是，国家规定需要保密的内容除外。

经批准的规划需要修改的，须经原批准机关批准。

【释义】 本条是关于可再生能源开发利用规划编制审批程序的规定，第二款和第三款有关备案的规定是这次修改决定新增加的内容。

一、开发利用可再生能源，一方面需要激励措施加以促进，另一方面也要根据经济技术条件、资源状况等，进行统一规划，可再生能源不能无序、盲目发展。可再生能源法实施后，2007 年 9 月国家发布了可再生能源中长期发展规划，提出了国家发展可再生能源的指导思想、基本原则、2010 年和 2020 年发展目标以及水能、生物质能、风能、太阳能和其他可再生能源的重点发展领域，以及为实现规划目标采取的保障措施。甘肃、陕西、新疆等多数省、自治区、直辖市也依据全国可再生能源中长期发展规划和本行政区域可再生能源开发利用中长期目标,编制并公布了本行政区域可再生能源开发利用规划,提出了本行政区域可再生能源 2010 年和 2020 年发展目标。

二、我国可再生能源开发利用规划主要分为全国的和省级的可再生能源开发利用规划。国务院能源主管部门会同国务院有关部门,根据全国可再生能源开发利用中长期总量目标和可再生能源技术发展状况,编制全国可再生能源开发利用规划,报国务院批准后实施。省、自治区、直辖市人民政府管理能源工作的部门会同本级人民政府有关部门,依据全国可再生能源开发利用规划和本行政区域可再生能源开发利用中长期目标,编制本行政区域可再生能源开发利用规划,经本级人民政府批准后,报国务院能源主管部门和国家电力监管机构备案,并组织实施。这次可再生能源法修正增加省级可再生能源开发利用规划报国务院能源主管部门和国家电力监管机构备案的规定,其目的是加强对省级可再生能源开发利用规划的监督,使省级可再生能源开发利用规划与国家的可再生能源开发利用规划相衔接。

三、经批准的可再生能源开发利用中长期规划除国家规定需要保密的内容外,应当向社会公布。公布可再生能源开发利用规划,有利于市场主体准确捕捉可再生能源开发利用的政策导向,同时便于公众对可再生能源开发利用规划的了解及执行情况的监督。

四、由于可再生能源资源状况和能源需求在不断变化,经济技术条件的不断发展,可再生能源开发利用规划也应作相应的修改。修改规划应当符合本条规定的修改程序和批准权限，经批准的规划需要修改的，须经原批准机关批准，即全国可再生能源开发利用中长期规划的修改要经过国务院批准，省级可再生能源开发利用中长期规划的修改要经过该行政区域省、自治区、直辖市人民政府批准。这样规定维护了可再生能源开发利用规划的严肃性和权威性。

五、为了保证可再生能源开发利用规划中长期总量目标的实现和可再生能源开发利用规划的有效实施，这次可再生能源法修正增加了本条第二款，即国务院有关部门应当制定有利于促进全国可再生能源开发利用中长期总量目标实现的相关规划。如农业部制定了《全国农村沼气建设工程规划》《农业生物质能产业发展规划（2007～2015）》。国家林业局编制了《全国能源林建设规划》《林业生物柴油原料林基地"十一五"建设方案》《十一五能源林培育利用示范项目实施方案》等。

第九条　编制可再生能源开发利用规划，应当遵循因地制宜、统筹兼顾、合理布局、有序发展的原则，对风能、太阳能、水能、生物质能、地热能、海洋能等可再生能源的开发利用作出统筹安排。规划内容应当包括发展目标、主要任务、区域布局、重点项目、实施进度、配套电网建设、服务体系和保障措施等。

组织编制机关应当征求有关单位、专家和公众的意见，进行科学论证。

【释义】　本条是对编制可再生能源开发利用规划应当遵循的原则、规划的内容以及公众参与编制的规定。

一、可再生能源法实施后，我国可再生能源产业快速发展，同时可再生能源开发利用规划实施中也存在着诸如规划目标缺乏科学预见性、国家和地方规划之间缺乏衔接，使可再生能源开发利用规划同国家电网规划缺乏衔接、不协调、不同步的问题。同时，一些地方在不具备并网条件下，盲目扩大可再生能源发电规模。因此，需要加强规划的统筹协调，强化可再生能源开发利用规划同国家可再生能源发展技术状况的衔接，明确地方根据全国规划编制地方规划，这次修改决定增加了规划编制的原则和内容，以有效发挥规划的指导和调控作用。

二、编制可再生能源开发利用规划，应当遵循因地制宜、统筹兼顾、合理布局、有序发展的原则，对风能、太阳能、水能、生物质能、地热能、海洋能等可再生能源的开发利用作出统筹安排。本条规定的编制“可再生能源开发利用规划”是指全国和省级的可再生能源开发利用规划。我国可再生能源资源丰富，分布广，但各地差异很大，法律不要求市、县级都要编制可再生能源开发利用规划，编制规划应根据国家可再生能源开发利用中长期总量目标和可再生能源技术发展状况，可再生能源开发利用规划的对象包括全部可再生能源。在规划中要统筹兼顾各种可再生能源之间，以及可再生能源与常规能源之间以及与电网之间的关系。通过合理配置各地各种可再生能源开发利用的轻重缓急，使该区域的可再生能源得到有序发展。规划内容应当包括发展目标、主要任务、区域布局、重点项目、实施进度、配套电网建设、服务体系和保障措施等。

三、公众参与可再生能源开发利用规划编制，提出自己的意见、建议，有利于使规划更为全面、准确，有利于推进决策的民主化、科学化进程，也有利于事先平衡好规划实施过程中与公众的关系，保证规划的顺利实施。因此，编制可再生能源开发利用规划，应当征求有关单位、专家和公众的意见，进行科学论证。这里的“征求有关单位、专家和公众的意见”是必经的程序，可以书面征求意见，也可以召开座谈会等征求意见。无论采取哪种形式，都要按照规范的程序，征求与该项可再生能源开发利用规划有关的单位、公众代表和专家对规划草案的意见。这里讲的“科学论证”，主要是对可再生能源开发利用规划草案涉及的有关问题，例如该项可再生能源开发利用的现状及存在的问题、规划实施后可能产生的不良影响的预测、评估的结论，拟采取的鼓励可再生能源开发利用的优惠措施、预防和减轻不良影响的对策和措施等，邀请专家、具有一定专业知识的公众代表和有关单位的代表进行论证，对该规划的相关内容提出论证意见，也可以对规划草案的内容进行全面论证。

第三章　产业指导与技术支持

可再生能源的开发利用成本比常规能源高，各种可再生能源的技术差异较大。国家采取各种措施鼓励可再生能源的开发利用，需要制定有关可再生能源产业、技术发展政策，对我国可再生能源开发利用给予产业指导和技术支持。政府是开发利用可再生能源的重要推动力量。但是，政府推动发展可再生能源的目的是加速其实现商业化和规模化，政府的职责主要体现在调控和规范市场上，通过市场机制引导市场主体开发利用可再生能源，激励市场主体开发利用可再生能源。为此，本章规定政府在可再生能源产业发展指导与技术支持中的责任，对产业发展指导目录、可再生能源技术和产品的标准与规范和可再生能源的科技研发与教育培训等内容作了规定。

第十条　国务院能源主管部门根据全国可再生能源开发利用规划，制定、公布可再生能源产业发展指导目录。

【释义】　本条是关于可再生能源产业发展指导目录的规定。

一、可再生能源产业发展指导目录是指在一定时期内，根据我国的可再生能源资源量和分布、可再生能源不同技术的发展水平和经济条件,以及国家可再生能源产业发展的要求,由国务院能源主管部门编制和发布的国家可再生能源技术和产品的优先发展领域或鼓励发展领域的指南。我国在可再生能源的开发利用方面已取得重要进展。但是,我国可再生能源技术相对落后,技术进步缓慢,产业基础薄弱,不能适应可持续发展的需要。可再生能源作为新兴产业,不能走过去的老路子和模式,应当采取政府推动、企业化运营、市场化运作,吸收各种所有制经济主体开发利用可再生能源。通过制定、公布可再生能源发展总量目标、发展规划和产业发展指导目录,加强对开发利用可再生能源的引导,减少盲目性,少走弯路,加快我国可再生能源开发的商业化、产业化和规模化发展。

二、可再生能源产业发展指导目录由国务院能源行政主管部门制定,制定依据是经国务院依法批准的全国可再生能源开发利用规划。根据本法规定,对列入国家可再生能源产业发展指导目录、符合信贷条件的可再生能源开发利用项目,金融机构可以提供有财政贴息的优惠贷款;国家对列入可再生能源产业发展指导目录的项目给予税收优惠。2005 年可再生能源法颁布后,国家发改委颁布了《可再生能源产业发展指导目录》,"指导目录"涉及风能、太阳能、生物质能、地热能、海洋能、水能六大领域 88 个可再生能源产业发展项目。对于该目录中具备规模化推广利用的项目,国务院相关部门将制定和完善技术研发、项目示范、财政税收、产品价格、市场销售和进出口方面的优惠政策。

第十一条　国务院标准化行政主管部门应当制定、公布国家可再生能源电力的并网技术标准和其他需要在全国范围内统一技术要求的有关可再生能源技术和产品的国家标准。

对前款规定的国家标准中未作规定的技术要求，国务院有关部门可以制定相关的行业标准，并报国务院标准化行政主管部门备案。

【释义】　本条是关于可再生能源技术和产品的标准的规定。

一、根据我国标准化法的规定，标准分为国家标准、行业标准、地方标准和企业标准。国家标准是指在全国范围内统一的技术要求，由国务院标准化行政主管部门制定的标准。行业标准是指没有国家标准而又需要在全国某个行业范围内统一的技术要求，由国务院有关行政主管部门制定的标准，行业标准应当报国务院标准化行政主管部门备案，在国家标准公布后，该项行业标准即行废止。地方标准是指对没有国家标准和行业标准而又需要在省、自治区、直辖市范围内统一的工业产品的安全、卫生要求，由省、自治区、直辖市标准化行政主管部门制定的标准。企业标准是指企业生产的产品没有国家标准和行业标准的，需要制定作为企业组织生产依据的标准。国家标准、行业标准分为强制性标准和推荐性标准，保障人体健康、人身、财产安全的标准和法律、行政法规规定强制执行的标准是强制性标准，其他标准是推荐性标准。本条只对可再生能源技术和产品的国家标准和行业标准作了规定，明确可再生能源电力的并网技术标准必须是国家标准，其他需要在全国范围内统一技术要求的有关可再生能源技术和产品，可以制定国家标准或行业标准。可再生能源技术和产品的国家标准通常由相关部门组织行业协会起草，按程序报国务院标准化行政主管部门批准、发布；行业标准由相关部门组织行业协会制定、发布。

二、可再生能源技术和产品标准化的作用：一是促进可再生能源技术的发展和产业化。标准、技术、专利是国际经济和科技竞争的重要组成部分，其中技术是三者之“源”，标准则是推动技术和相关专利得以大面积推广和应用、实现新技术的产业化和结构调整、获取最终市场份额的手段。可再生能源技术标准化贯穿于新产品的研究、设计、开发、应用和产业化的全过程，通过开展可再生能源技术标准化可以为众多企业提供技术指导，规范相应领域内的主要生产活动，促进相关产品在技术上的相互协调和配合。二是优化和保障可再生能源的健康、有序发展。可再生能源技术标准化通过规范化、统一化、通用化、系列化、组合化等形式，合理控制和发展产品品种规格，确保零部件的互换、互连、兼容和可靠，使产品和部件形成完整系列，避免社会在人力、物力上的浪费和管理上的混乱，既利于提高生产效率、降低成本，又便于使用和维修，从而保证了系统的全局优化和有序性。三是有利于我国可再生能源技术和产品在国际市场中的竞争。在世界经济一体化的趋势下，标准化一方面可以促进和加强国际间的科学技术交流和国际间的贸易发展,另一方面还可以促进我国采用国际先进技术和方法,综合考虑科学性、先进性、现实性和经济性以及国家政策、国情特色和国际国内市场动向等,对产品的性能指标、结构形式和款式,以及检验和质量控制的基本方法等做出最佳的选择,提高我国可再生能源技术和产品的质量水平,适应日趋激烈的国际竞争环境。四是有利于消除市场准入的技术壁垒。大多数可再生能源企业与传统能源企业相比是弱势产业,现行的技术标准制度,往往成为市场准入的技术壁垒。通过制定可再生能源技术和产品的标准,提高和规范了可再生能源技术和产品的质量品质和特性要求,同时提出了市场准入的基本技术条件,有助于消除可再生能源市场准入的技术壁垒。

我国与可再生能源相关的专业化技术委员会或者分会有三个:全国能源基础与管理标准化技术委员会的新能源与可再生能源分委员会、风力机械标准化技术委员会和太阳光伏能源系统标准化委员会。全国能源基础与管理标准化技术委员会,从事我国新能源与可再生能源方面的标准化研究及各种能源利用产品、技术、管理、方法等标准的制定修订工作。全国风力机械标准化技术委员会,从事风力发电机、风力提水机、风能热转换等风能利用转换装置,风力发电配套的控制器、逆变器及其所需配套的附件等设备的标准制定工作。全国太阳光伏能源系统标准化委员会负责太阳能光伏能源系统及其有关附件、专用设备材料的标准的制定工作。

三、我国的可再生能源资源开发利用水平还不高,在可再生能源技术和产品质量方面与发达国家有较大差距，可再生能源技术和产品的标准也不够完善。目前可再生能源技术和产品标准制定的有关情况是：

1. 国家可再生能源电力的并网技术标准

2005 年 12 月，国家质量监督检验检疫总局和国家标准化管理委员会发布了 3 项有关可再生能源发电项目的并网技术标准，包括：《风电场接入电力系统的技术规定》（GB/Z 19963－2005）、《光伏发电接入电力系统的技术规定》（GB/Z 19964－2005）、《地热发电接入电力系统的技术规定》（GB/T 19962－2005）。其中，风电场和光伏发电站的并网技术规定是指导性技术文件，按照国家有关规定，需要每 3 年复审一次。目前，中国电力企业联合会已经启动了相关工作，风电场的并网技术规定的复审已经得到了国家标准化管理委员会的批准，正在进行起草工作；光伏发电站的并网技术规定的复审也已经报国家标准化管理委员会批准。地热电站的并网技术规定是推荐性国家标准，目前仍然有效。

2. 其他可再生能源技术和产品标准

（1）太阳能热利用标准。目前，我国太阳能热利用的方式主要有三种：太阳能热水器、被动式太阳房及太阳灶。

太阳能热水器技术标准的发展要快于被动式太阳房和太阳灶。目前，我国已组织制定了有关太阳能热水器的国家标准十几项，行业标准十几项，涵盖了太阳能热利用术语、集热器和储水箱等太阳能热水器部件和材料的技术要求与性能试验方法、产品（系统）的技术要求和热性能试验方法以及系统的设计、安装与验收技术要求等，太阳能热水器产品标准已基本形成体系。

由于我国被动式太阳房与太阳灶技术的开发利用速度缓慢；目前被动式太阳房及太阳灶的标准研制进展很慢，现有标准数量十分有限，仅有 1 项国家标准 GB/T 15405 - 2006 被动式太阳房热工技术条件和测试方法，以及几项行业标准，如 NY/T 219 - 1992 聚光型太阳灶。河北、黑龙江等部分省组织制定了一些有关产品性能要求的地方标准。

目前在太阳能热水器技术和产品标准上，应当优先组织制定太阳能热水器与建筑相结合的热水系统的设计、安装、工程验收以及效益评价等技术标准。

（2）太阳能光伏发电标准。光伏电池的标准研制工作基本正常，现已组织制定了 20 多项国家标准，10 多项行业标准，包括基础类标准，如 GB/T 2296 - 1980 太阳电池型号命名方法，GB/T 2297 - 1989 太阳光伏能源系统术语，SJ/T 10460 - 1993 太阳光伏能源系统图形符号等；产品性能标准，如 GB/T 6492 - 1986 航天用标准电池，GB/T 12632 - 1990 单晶硅太阳电池总规范，SJ/T 10174 - 1991 稳态太阳模拟器等；实验方法标准，如 GB/T 11009 - 1989 太阳电池光谱响应测试方法，GB/T 11012 - 1989 太阳电池性能测试设备检验方法，SJ/T 10459 - 1993 太阳电池温度系数测试方法等。这些标准大都等同或等效采用了国际标准，标准水平较高，但控制器、逆变器、蓄电池、专用直流灯具等太阳能光伏发电系统相应部件的技术标准还很少，远远不能满足需求，需要进一步制定和完善。

有关光伏发电系统技术标准的研制工作已经起步,已经制定了 GB/T 19064 - 2003 家用太阳能光伏电源系统技术条件和测试方法等国家标准。

在太阳能光伏发电标准体系建设方面应优先组织制定太阳光伏发电专用控制器、逆变器、灯具等相关产品的技术要求和试验方法标准,以及各种系统的技术要求和试验方法标准,同时引进 IEC 标准,制定有关太阳电池的技术标准。

(3)风力发电标准。我国风力发电的标准化工作从 1985 年开始。十几年来,已组织制定了 30 多项国家标准和行业标准。这些标准主要针对离网的小型风力发电机组,包括基础性标准,如 GB/T 8116 风力发电机组型式与基本参数,GB/T 8975 - 1988 风力机械产品型号编制规则,JB/T 9740.2 - 1999 低速风力机型式与基本参数,JB/Z 325 - 1989 风力机系列型谱等;产品标准,包括 GB/T 10760.1 - 1989 小型风力发电机技术条件,NJ 423 - 1986 低速风力机技术条件,JB/T 6939.1 - 93 小型风力发电机租用控制器技术条件等;产品安全标准,如 GB 17646 - 1998 小型风力发电机组安全要求,GB/T 16437 - 1996 小型风力发电机组结构安全要求等;试验方法标准,如 NJ 322 - 1984 提水和发电用风力机试验方法,JB/T 6939.2 - 93 小型风力发电机租用控制器试验方法等;设计、安装与运行标准,如 GB/T 13981 - 1992 风力机设计通用要求,JB/T 9740.4 - 1999 低速风力机安装规范,JB/T 9740.4 - 1999 低速风力机安装规范等;管理标准,如 JB/NQ 35.1 - 35.3 风力发电机组产品质量分等标准等。其中部分标准是由国际标准转化而来的。

自1999年以来，在继续研究制定小型风力发电机相关标准的同时，重点开始开发研究并网型风力发电机组的标准。到目前为止，已制定了并网型风力发电机组国家标准2项，行业标准2项，包括"风力发电机组功率特性试验"和"风力发电机组风轮叶片"等，现已正式批准发布。目前还有多项风力发电机组及主要零部件国家标准和行业标准正在起草之中。

在风力发电设备标准体系建设方面应优先参照国际先进标准，加速并网型风机技术标准的研制，同时组织修订旧的有关离网型风机的技术标准。

第十二条　国家将可再生能源开发利用的科学技术研究和产业化发展列为科技发展与高技术产业发展的优先领域，纳入国家科技发展规划和高技术产业发展规划，并安排资金支持可再生能源开发利用的科学技术研究、应用示范和产业化发展，促进可再生能源开发利用的技术进步，降低可再生能源产品的生产成本，提高产品质量。

国务院教育行政部门应当将可再生能源知识和技术纳入普通教育、职业教育课程。

【释义】　本条是关于可再生能源开发利用技术和产品的科技研发和教育培训的规定。

一、促进我国可再生能源的产业化发展要依靠科技的发展和人才的培养。20 世纪 90 年代以来，发达国家把促进科技创新作为国家发展的基本战略，把争夺科技制高点作为国家发展战略的重点，把科技投资作为战略性投资。可再生能源开发利用是一个新兴产业，世界各国尤其是发达国家十分重视可再生能源产业的发展，将之视为新的经济增长点。可再生能源开发利用的科学技术研究和产业化发展水平代表一个国家高新技术水平和能源技术领域综合竞争力。人才资源是先进生产力的核心要素，创新人才培养是国家强盛、屹立于世界先进民族之林的根本大计。

二、促进可再生能源资源的开发利用的科研和产业化。我国小水电、太阳能热利用和沼气等可再生能源技术，无论从开发规模还是从技术发展水平均处于国际领先地位，为我国可再生能源产业化发展奠定了一定的基础。但我国还没有建立完备的可再生能源产业化体系，研究开发能力较弱，制造技术水平较低，关键的设备仍需进口，一些相对成熟的技术尚缺乏标准和服务保障。因此，本条规定，国家将可再生能源开发利用的科学技术研究和产业化发展列为科技发展与高技术产业发展的优先领域，纳入国家科技发展规划和高技术产业发展规划；安排资金支持可再生能源开发利用的科学技术研究、应用示范和产业化发展，促进可再生能源开发利用的技术进步，降低可再生能源产品的生产成本，提高产品质量。

1. 国家鼓励可再生能源开发利用技术和产品的科技研发的措施主要有：

(1)将可再生能源开发利用的科学技术研究和产业化发

展列为科技发展与高技术产业发展的优先领域，纳入国家科技发展规划和高技术产业发展规划。如国家发改委、科技部、商务部发布的《当前优先发展的高技术产业化重点领域指南》明确规定：生物质气化发电和供气技术，生物质液体燃料技术，750 千瓦级风力发电机组及其关键部件的设计制造及生产技术，兆瓦级风力发电机组及其关键部件，高效率、低成本的太阳能光伏电池，中、高温太阳能发电设备、地源热泵与采暖、空调、热水联供系统等为当前高技术产业化的重点领域和方向。原国家计委、国家经贸委发布的《当前国家重点鼓励发展的产业、产品和技术目录》也把水力、太阳能、地热能、海洋能、生物质能及风力发电作为当前国家重点鼓励发展的产业。教育部印发的《高等学校中长期科学和技术发展规划纲要》也规定，加强国家能源科学技术领域重大科技问题研究，实现新突破。其中包括生物质能、太阳能、风能及氢能等可再生能源与新能源，互联大电网高效传输和网络安全技术等。

（2）安排资金支持可再生能源开发利用的科学技术研究、应用示范和产业化发展，国务院对可再生能源研究开发政策的主要方面之一就是资助可再生能源的研究和开发，给予大量的补贴。在“六五”至“九五”期间通过国家科技攻关的项目累计投入研究开发费用近 2 亿元，通过国家火炬、星火、技改等计划贷款近 20 亿元，有效促进了可再生能源的开发和利用。

2. 国家鼓励可再生能源开发利用的技术和产品的科技研

发和产业化的目的是促进可再生能源开发利用的技术进步，降低可再生能源产品的生产成本，提高产品质量。通过采取鼓励措施，经过多年的努力，我国可再生能源技术已经取得了很大进步，主要表现在：一是兴建了一批国家试验基地，培养造就了一批科技人才，独立研究、开发和创新能力大大增强；二是涌现了一批商业化技术，如小水电、太阳能热水器、微型风电机和地热供暖等；三是相当一批技术已进展到商业化的初始阶段，如大型并网风电机组；大中型沼气工程、户用光伏系统等；四是一大批尚处于研究开发和试点示范的技术发展态势良好，进展顺利，并不断获得新的成果。

三、培养可再生能源技术人才的重要途径是教育，国务院教育行政部门应当将可再生能源知识和技术纳入普通教育、职业教育课程。无论从长远的角度还是现实的角度看，发展可再生能源都已经成为保障能源安全的实际需求，培养可再生能源资源的开发利用人才是一项重要而紧迫的任务。

第四章 推广与应用

推广和应用可再生能源、促进可再生能源的开发利用是本法的根本目的。在现阶段，为推广和应用可再生能源发展，加速实现可再生能源的商业化、规模化和产业化，需要综合运用行政、经济、法律手段。本章对可再生能源发电项目的市场准入、可再生能源发电全额保障性收购制度、不同类别可再生能源的推广应用等作出了规定。

第十三条　国家鼓励和支持可再生能源并网发电。

建设可再生能源并网发电项目，应当依照法律和国务院的规定取得行政许可或者报送备案。

建设应当取得行政许可的可再生能源并网发电项目，有多人申请同一项目许可的，应当依法通过招标确定被许可人。

【释义】 本条是关于国家鼓励可再生能源并网发电及建设可再生能源并网发电项目应依法取得行政许可或报送备案的规定。

一、国家鼓励和支持可再生能源并网发电。可再生能源并网发电是可再生能源大规模商业化开发利用的主要途径和领域。目前我国用于并网发电的可再生能源主要有水能、风能、生物质能和太阳能光伏发电。自 2006 年可再生能源法施行以来，国家有关部门按照可再生能源法的要求相继制订了多项促进可再生能源并网发电的政策、法规，可再生能源并网发电得到了迅猛发展：至 2008 年年底，水电累计装机容量达到 1.72 亿千瓦；风电累计装机容量达到 1250 万千瓦，自 2000 年以来年均增长 55%，2008 年装机容量已上升到世界第四位；生物质能发电装机容量达到 315 万千瓦；太阳能光伏发电装机容量达到 15 万千瓦。

二、可再生能源发电项目的市场准入有两种方式：一是行政许可或者报送备案方式；二是招标方式。

1. 建设可再生能源并网发电项目，应当依照法律和国务院的规定取得行政许可或者报送备案。根据行政许可法规定，可再生能源的开发利用作为一类自然资源的开发利用可以设定行政许可。2004 年发布的《国务院关于投资体制改革的决定》中也明确了哪类建设项目需要取得行政许可，哪类建设项目需要进行备案：对于企业不使用政府投资建设的项目，一律不再实行审批制，区别不同情况实行核准制和备案制。其中，政府仅对重大项目和限制类项目从维护社会公共利益角度进行核准，其他项目无论规模大小，均改为备案制。实行政府核准制的建设项目的范围以发布的《政府核准的投资项目目录》为准，对于目录以外的企业投资项目，实行备案制。具体到需要取得行政许可的可再生能源建设项目，《政府核准的投资项目目录》(2004 年本) 中明确规定：在主要河流上建设的项目和总装机容量 25 万千瓦及以上的水电站项目由国务院投资主管部门核准,其余项目由地方政府投资主管部门核准;总装机容量 5 万千瓦及以上的风电站项目由国务院投资主管部门核准,其余项目由地方政府投资主管部门核准。

2. 对于有多人申请同一可再生能源并网发电项目行政许可的,应当依法通过招标确定被许可人。采用招标的方式可以使各种市场主体公平参与竞争,限制行政干预,排除地方和部门的保护主义。可再生能源并网发电项目的招标活动,应当依照招标投标法和国家有关规定中的规则和程序进行。国家发改委已经组织了几期风电特许权招标项目,也积累了一定经验。通过招标方式,对降低可再生能源并网发电成本,扩大可再生能源发电规模,推动我国可再生能源市场的建立和发展都起到了重要的作用。

第十四条 国家实行可再生能源发电全额保障性收购制度。

国务院能源主管部门会同国家电力监管机构和国务院财政部门,按照全国可再生能源开发利用规划,确定在规划期内应当达到的可再生能源发电量占全部发电量的比重,制定电网企业优先调度和全额收购可再生能源发电的具体办法,并由国务院能源主管部门会同国家电力监管机构在年度中督促落实。

电网企业应当与按照可再生能源开发利用规划建设,依法取得行政许可或者报送备案的可再生能源发电企业签订并

网协议，全额收购其电网覆盖范围内符合并网技术标准的可再生能源并网发电项目的上网电量。发电企业有义务配合电网企业保障电网安全。

电网企业应当加强电网建设，扩大可再生能源电力配置范围，发展和应用智能电网、储能等技术，完善电网运行管理，提高吸纳可再生能源电力的能力，为可再生能源发电提供上网服务。

【释义】　本条是关于可再生能源发电全额保障性收购制度的规定。

一、可再生能源发电全额保障性收购制度，是指符合法律规定条件的可再生能源发电，电网企业必须保障予以全额收购，否则将承担相应法律责任。可再生能源发电全额保障性收购制度，是培育可再生能源市场和产业的重要手段，是在可再生能源起步和成长阶段保障其顺利发展的重要法律制度。原可再生能源法已对可再生能源发电全额收购制度作了规定，实践证明这一制度是保证可再生能源并网发电行之有效的措施，国务院有关部门也制定了相应的配套规定。本次修改决定，是在总结可再生能源法实施 4 年来经验的基础上，对可再生能源发电全额收购制度作了进一步完善，对政府有关主管部门、电网企业、发电企业在实行全额保障性收购制度方面的责任作了更为明确的规定，以进一步落实可再生能源发电全额保障性收购制度。

二、国务院有关部门落实全额保障性收购制度的责任。国务院能源主管部门会同国家电力监管机构和国务院财政部门，按照全国可再生能源开发利用规划，确定在规划期内应当达到的可再生能源发电量占全部发电量的比重，制定电网企业优先调度和全额收购可再生能源发电的具体办法，并由国务院能源主管部门会同国家电力监管机构在年度中督促落实。为了实施可再生能源发电全额收购制度，在可再生能源发电量占全部发电量的比重、电网企业优先调度可再生能源发电和全额收购可再生能源发电等方面，国务院有关部门已经制定了相关的规划目标和实施办法。如国家发改委 2007 年发布的《可再生能源中长期发展规划》中提出，到 2010 年和 2020 年，大电网覆盖地区非水电可再生能源发电在电网总发电量中的比例分别达到 1% 和 3% 以上。2009 年为了应对气候变化，改善能源结构，中国政府承诺大力发展可再生能源，争取到 2020 年非化石能源（包括可再生能源、核能等）占一次能源消费比重达到 15%。据此，我国可再生能源中长期发展规划和目标还需作相应调整。国务院办公厅、国家发改委和国家电监会分别发布了《节能发电调度办法（试行）》、《可再生能源发电有关管理规定》和《电网企业全额收购可再生能源电量监管办法》，对优先调度和全额收购可再生能源发电作出了具体规定。这些规定措施是可再生能源发电全额保障性收购制度有效实施的重要保证，国务院能源主管部门要会同国家电力监管机构对相关企业在年度中督促落实。

三、关于电网企业全额收购可再生能源并网发电项目的上网电量，原可再生能源法规定得比较原则。这次修改决定进一步明确了电网企业全额收购的条件：一是电网企业全额收购的可再生能源上网电量必须是按照可再生能源开发利用规划建设的可再生能源发电项目所生产的电力。可再生能源发电项目需要有与之相配套的电网建设等条件保障,必须按照可再生能源开发利用规划进行建设,这一规划对可再生能源发电项目布局、配套电网建设等服务体系和保障措施均作了统一安排,从而可以保证可再生能源发电有序发展。二是可再生能源并网发电项目应当符合并网技术标准。可再生能源电力的并网技术标准是国家强制性标准,可再生能源并网发电项目应当符合并网技术标准。由于可再生能源发电具有随机性、间歇性的特点,对其并网提出技术标准的要求是保障电网安全的需要。三是双方要签订并网协议。电网企业应当与按照可再生能源开发利用规划建设,依法取得行政许可或者报送备案的可再生能源发电企业签订并网协议,全额收购其电网覆盖范围内符合并网技术标准的可再生能源并网发电项目的上网电量。电网企业未依照本条规定收购可再生能源电量的,应当承担相应的法律责任。这样修改符合我国可再生能源全额收购的实际情况,更有利于具体操作。

四、对发电企业、电网企业实行全额保障性收购制度的有关责任作了具体规定。关于可再生能源发电企业的责任,突出的是其可再生能源并网发电项目要符合并网技术标准,配合做好保障电网安全的有关工作。因此,本条在规定电网企业全额收购可再生能源并网发电项目的上网电量的同时,还规定可再生能源发电企业有义务配合电网企业保障电网安全。

电网企业是大型国有企业，在大力发展可再生能源中应当发挥更大作用、承担更多责任。我国太阳能、风能等可再生能源资源主要分布在西北和东北，电力负荷主要分布在东部、中部和南部。可再生能源电力从资源丰富地区输送到电力高负荷地区，全国六大电网能否互相支撑，实现同步连接，是未来我国大规模发展可再生能源电力的关键。目前电网企业可再生能源配套电网的建设滞后于发电项目的建设。这些都需要电网企业通过不断加强电网建设，扩大可再生能源电力配置范围，发展和应用智能电网、储能等技术，完善电网运行管理，才能提高吸纳可再生能源电力的能力，为可再生能源发电提供更好的上网服务，适应我国大力发展可再生能源的需要。

第十五条　国家扶持在电网未覆盖的地区建设可再生能源独立电力系统，为当地生产和生活提供电力服务。

【释义】　本条是关于国家扶持在电网未覆盖地区建设可再生能源独立电力系统的规定。

一、可再生能源独立电力系统，是指不与电网连接的单独运行的可再生能源电力系统。这类系统一般用于边远地区和海岛以及无电网覆盖或难以并入电网的地区。由于这些地区地处边远，远离电网，用电负荷小且分散，延伸电网成本极大，有些地方近20年之内不可能通过延伸电网实现供电，而可再生能源发电在解决边远、电网无法覆盖地区的生产、生活用能方面具有特殊优势，是发挥可再生能源开发利用社会功能的重要领域。我国多年的实践证明，风力发电和光伏发电技术适宜在边远、电网未覆盖的地区推广应用，较之延伸电网和常规能源独立电力系统发电具有明显的经济性：对于年平均风速大于5米/秒、年光照大于2500小时的边远地区，电网距离为25公里以上时，常规电网供电成本大于风力发电和光伏发电的成本；在年平均风速大于5米/秒的边远地区，月用电量大于1600千瓦时，风力发电系统发电成本比柴油机组有明显的优势；在年光照大于2500小时的边远地区，月用电量大于2100千瓦时，光伏发电系统的经济性优于柴油发电机组。在风、光资源良好的地区，风力发电或光伏发电的用电成本为2～6.5元/千瓦时，低于常规电网发电和内燃机组（柴油）发电成本。因此在目前的条件下，采用风力发电和光伏发电技术解决边远地区、电网覆盖不到的地区分散供电是可行的。

二、电网覆盖不到的偏远地区，往往也是老少边穷地区，大部分人口还生活在贫困线以下，基础设施条件较差，也缺乏可再生能源独立电力系统设施建设的技术和资金。发展可再生能源独立电力系统，改善当地的生产生活条件，需要国家的大力扶持。2005年，国家发改委将离网型风力发电和离网型太阳能光伏发电列入了《可再生能源产业发展指导目录》，重点给予扶持。同时，国家每年还投入大量资金用于偏远地区可再生能源的建设，已取得了很大的成果，解决了边远地区部分无电人口的用电问题。

第十六条　国家鼓励清洁、高效地开发利用生物质燃料，鼓励发展能源作物。

利用生物质资源生产的燃气和热力，符合城市燃气管网、热力管网的入网技术标准的，经营燃气管网、热力管网的企业应当接收其入网。

国家鼓励生产和利用生物液体燃料。石油销售企业应当按照国务院能源主管部门或者省级人民政府的规定，将符合国家标准的生物液体燃料纳入其燃料销售体系。

【释义】 本条是关于国家鼓励发展生物质燃料及可再生能源燃气和热力入网、生物液体燃料纳入燃料销售体系的规定。

一、现代生物质能的一个重要发展方向就是高效清洁利用，将生物质转换为优质能源，包括燃气、液体燃料等。我国生物质能资源量大，分布广，是可开发利用的重要的可再生能源，生物质能资源主要有农作物秸秆、林业剩余物、油料植物、能源作物等。目前，每年可作为能源使用的农作物秸秆资源量约为1.5亿吨标准煤，林业剩余物资源量约2亿吨标准煤，小桐子、油菜籽、蓖麻、漆树、黄连木和甜高粱等油料植物和能源作物的潜在种植面积，理论上可满足年产5000万吨生物液体燃料的原料需求。我国能源消费过分依赖煤炭造成了严重的煤烟型环境污染。另外，由于近年来汽车消费的不断增长，大量的汽车燃烧汽油排放的尾气也造成了城市空气质量的急剧下降。常规燃料产生的二氧化碳释放，也成为温室气体排放的主要来源。与常规燃料相比，生物质燃料可以再生，也更加清洁，有助于抑制全球气候的变暖。

可再生能源法实施以来，国家不断加大对生物质燃料和能源作物的扶持力度，国家有关部门都出台了相应的扶持政策措施。国家发改委将生物液体燃料和能源作物的种植、选育列入《可再生能源产业发展指导目录》，国家林业局编制完成了《全国能源林建设规划》《林业生物柴油原料林基地“十一五”建设方案》《十一五能源林培育利用示范项目实施方案》等，财政部等五部门还发布了《关于发展生物能源和生物化工财税政策的实施意见》。这些政策措施的实施，使我国生物质燃料的开发利用和能源作物的种植选育得到了较快发展，至 2008 年，车用乙醇和生物油的利用规模分别达到了 120 万吨和 50 万吨。但发展生物质燃料和能源作物也应从我国国情出发，我国人多地少，粮食安全至关重要，发展生物能源应在确保国家粮食安全基础上稳步推进，从而实现粮食安全与生物质能源发展的双赢。

二、可再生能源燃气和热力，是指利用可再生能源资源，主要是利用生物质资源生产的气体燃料和热力。为了促进可再生能源燃气和热力应用的发展，提高投资者的投资积极性，应当保证符合标准的可再生能源燃气和热力能够入网销售，因此，本条对可再生能源燃气和热力入网同可再生能源发电上网一样，作出了强制性规定，即符合城市燃气管网、热力管网的入网技术标准的可再生能源燃气和热力，经营燃气管网、热力管网的企业应当接收其入网。可再生能源燃气和热力入网的价格，应当依照本法第二十三条的规定确定。

三、生物液体燃料，是指使用生物质资源生产的甲醇汽油、燃料乙醇和生物柴油等。目前生物液体燃料的应用在我国还是一项全新的工作，但国家已经通过制定一些相关政策和优惠措施来鼓励和支持生物液体燃料的应用。早在2000年我国就编制了《变性燃料乙醇及车用乙醇汽油"十五"发展专项规划》，确定了我国变性燃料乙醇的发展思路、总量目标和布局原则。2002年，在一些地方进行为期一年的车用乙醇汽油使用试点工作。同时，全面启动了三个30万吨/年的变性燃料乙醇生产试点项目。2004年《车用乙醇汽油扩大试点方案》和《车用乙醇汽油扩大试点方案实施细则》正式下发。截至目前，涉及9个省的车用乙醇汽油扩大试点工作已全面启动，吉林省已率先实现全省封闭运行推广使用车用乙醇汽油。本条规定石油销售企业应当按照国务院能源主管部门或者省级人民政府的规定将符合国家标准的生物液体燃料纳入燃料销售体系，有助于充分发挥石油销售企业现有的储运设施能力和较为完善的销售网络的作用，使生物液体燃料能够更快地被消费者接受。

第十七条　国家鼓励单位和个人安装和使用太阳能热水系统、太阳能供热采暖和制冷系统、太阳能光伏发电系统等太阳能利用系统。

国务院建设行政主管部门会同国务院有关部门制定太阳能利用系统与建筑结合的技术经济政策和技术规范。

房地产开发企业应当根据前款规定的技术规范，在建筑物的设计和施工中，为太阳能利用提供必备条件。

对已建成的建筑物，住户可以在不影响其质量与安全的

前提下安装符合技术规范和产品标准的太阳能利用系统；但是，当事人另有约定的除外。

【释义】 本条是关于鼓励太阳能利用系统推广应用的规定。

一、国家鼓励单位和个人安装和使用太阳能热水系统、太阳能供热采暖和制冷系统、太阳能光伏发电系统等太阳能利用系统。我国太阳能资源丰富，全国2/3的国土面积年日照时间在2200小时以上，每年地表吸收的太阳能相当于1.7万亿吨标准煤。太阳能利用技术主要包括发电、热利用、采暖和制冷等。目前得到广泛应用的是太阳能光伏发电和太阳热利用。至2008年年底，全国年产太阳能电池200万千瓦，光伏发电装机容量达到15万千瓦；太阳能热水器安装面积达到12500万平方米，年产能4000万平方米。此外，太阳能供暖、制冷空调等一些领域也已经开始前期的研究和示范系统建设工作。

我国太阳能利用虽然发展很快，但是也存在着一些问题。如在太阳能光伏发电方面，由于成本较高，政策支持尚不到位，无法大规模商业化应用，目前只是作为边远地区供电电源的补充。在太阳能热利用方面，我国太阳能热水系统生产、加工工艺落后，产品单一。太阳能与其他可再生能源一样，其开发利用离不开政府的扶持与引导。因此，根据目前太阳能利用的实际情况和发展过程中出现的问题，我国应当有针对性地制定相关的技术和经济激励措施，完善相关的技术政策，特别是与建筑结合的技术经济政策和技术规范，引导用户选择太阳能利用产品，以支持太阳能技术的广泛应用。

二、制定太阳能利用系统与建筑结合的技术经济政策和技术规范。太阳能与建筑结合是太阳能利用的主要方式。据不完全统计，我国建筑耗能在我国能源总消费量中所占比例已从1978年的10%上升到27%多，比发达国家高1～2倍，而建筑采暖、空调约占建筑能耗的65%。而太阳能空调、采暖、热水器技术与建筑结合是减少建筑耗能的有效途径。相当多的太阳能利用系统安装使用都要涉及与建筑物的结合，尤其是太阳能热利用系统。缺乏与建筑结合的技术实践、技术规范和相应标准以及相应的经济激励政策是当前制约我国太阳能利用系统发展的主要因素。建设部门作为我国建筑行业的主管部门，在制定太阳能利用系统与建筑结合的有关经济政策和技术规范方面，应当发挥主要的作用。可再生能源法实施以来，住房和城乡建设部与有关部门相继制定了一系列太阳能利用系统与建筑结合的技术经济政策和技术规范，如2006年，与财政部联合发布了《关于推进可再生能源在建筑中应用的实施意见》、《可再生能源建筑应用示范项目评审办法》和《可再生能源建筑应用专项资金管理暂行办法》；2007年，两部门又联合发布了《关于加强可再生能源建筑应用示范管理的通知》；2009年，与财政部发布了《关于加快推进太阳能光电建筑应用的实施意见》《太阳能光电建筑应用财政补助资金管理暂行办法》。这些政策措施的制定对加快我国太阳能利用系统的发展起到推动作用。

三、在促进太阳能利用系统与建筑结合方面，除政府有关部门制定相关的技术经济政策和技术规范加以推动外,房地产开发商的作用也不可忽视。太阳能利用系统与建筑的结合有着多种因素的制约,其中一个重要的原因就是我国目前的建筑在设计和施工中并没有考虑太阳能利用系统的安装。如大多数的太阳能热水器都是安装在建筑物的屋顶上,这势必要占用建筑物的屋顶面积,而大多数的开发商在楼盘的开发设计与施工中,并没有为太阳能热水器的安装预留位置,有的建筑物的屋顶设计甚至根本无法安装太阳能热水器,这样即使有的住户想要安装太阳能热水器,也因为没有条件而无法安装。从长远看,建筑物本身条件的制约将非常不利于太阳能利用系统市场的稳定发展。因此,房地产开发企业应当依据相关的技术规范,在新建建筑物的设计和施工中为太阳能利用提供必备的条件,如预留太阳能利用系统的安装位置和管线等。

四、对于已建成的建筑物,住户有权根据自己的需要安装太阳能利用系统,任何单位和个人不得干涉。但住户也要遵守三方面的要求:一是安装太阳能利用系统以不影响建筑物质量与安全为前提;二是所安装的太阳能利用系统要符合相关技术规范和产品标准;三是住户与该建筑物的所有权人或者管理人等就太阳能利用系统的安装事项另有约定的,应当按照约定的内容决定是否安装或如何安装。

第十八条　国家鼓励和支持农村地区的可再生能源开发利用。

县级以上地方人民政府管理能源工作的部门会同有关部门,根据当地经济社会发展、生态保护和卫生综合治理需要等实际情况,制定农村地区可再生能源发展规划,因地制宜地推广应用沼气等生物质资源转化、户用太阳能、小型风能、小型水能等技术。

县级以上人民政府应当对农村地区的可再生能源利用项目提供财政支持。

【释义】 本条是关于国家鼓励和支持农村地区可再生能源开发利用的规定。

一、国家鼓励和支持农村地区的可再生能源开发利用。农村地区可再生能源开发利用是促进农业经济发展,提高农民生活水平,改善农村生态环境的重要措施,也是全国能源和电力发展的重要组成部分。从目前看,我国农村能源开发利用还不发达,农村居民生活用能以及农副产品加工,主要靠烧薪柴和秸秆。农村集中养殖所产生的畜禽粪便也是农村环境卫生不断恶化的主要原因。因此,在农村地区开发利用可再生能源,解决农村能源问题,意义重大:一是在农村发展可再生能源可以有效巩固生态建设成果。目前,我国许多地方农村生活用能仍以薪柴为主,据不完全统计,全国农村每年要烧薪柴 1.45 亿吨,约合木材 1.88 亿立方米,消耗的森林资源占全国森林资源消耗的 30% ~40% ,偏远山区有的高达 50% 。而通过发展具有显著代柴作用的沼气、小水电、风电、太阳能利用等,可以大大减少农户对薪柴的依赖,保障生态建设成果。二是农村可再生能源建设在解决农村生活用能的同时,与农业结构调整紧密结合,可有效地促进农业增效和农民增收。三是农村可再生能源的建设和发展,可以防止农村生态环境恶化,改善农村的生产生活条件,增加农民收入,成为提高农民生活质量、全面建设社会主义新农村的重要举措。

目前我国农村可再生能源发展过程中也存在着一些问题,主要是商品化技术条件差,不能满足农村生产用能的需要。在农村地区利用的可再生能源技术,基本上没有达到商业化开发利用的水平,利用规模小,只能部分解决农村生活能源问题,生产用能主要还是依赖常规能源。可再生能源法实施以来,国家也出台了一些促进农村可再生能源发展的政策措施,如农业部制定了《全国农村沼气建设工程规划》《农业生物质能产业发展规划(2007~2015)》;财政部和住房与城乡建设部联合发布了《加快推进农村地区可再生能源建筑应用的实施方案》,一些农业大省还制定了农村可再生能源开发利用方面的条例。同时,国家每年还投入大量资金用于农村可再生能源项目的建设。至2008年年底,全国已建成农村户用沼气池2800多万口,畜禽养殖场和工业废水沼气工程8000多处,年产沼气120亿立方米,离网型风力和太阳能光伏发电装机容量分别达到了约40万千瓦和8万千瓦。

二、农村开发利用可再生能源项目,应当符合当地经济社会发展、生态保护和卫生综合治理需要等实际情况,不可盲目发展。在推广农村可再生能源应用技术方面,县级以上地方人民政府管理能源工作的部门应当会同有关的部门,根据当地的实际情况,认真调查了解当地的能源使用情况,制定实际可行的可再生能源发展规划。根据我国农村能源使用和发展的实际情况来看,沼气等生物质资源转化、户用太阳能、小型风能、小型水能等可再生能源技术目前应用得较为广泛,并且技术也基本成熟,成本相对其他可再生能源较为低廉,应是我国农村可再生能源大力推广发展的方向:一是生物质能是适合农村使用的重要可再生能源,沼气是生物质能利用的重要途径,畜禽养殖场有机废物和其他有机废物理论上可以产生沼气 800 亿立方米,相当于 5700 万吨标准煤。通过发展沼气,可利用沼渣作底肥,小麦、水稻每亩可增产 9% 以上,玉米可增产 15% 以上。沼液还可以直接用于叶面喷洒治虫,可降低农产品农药的残留量,推动绿色农业发展。二是太阳能资源在农村的应用也较为广泛,主要是太阳能热水器和光伏发电。光伏发电主要集中在解决偏远地区无电人口的用电问题。农村户用太阳能利用最普遍的一种形式是太阳能热水器。太阳能热水器成本较为低廉,同时农村的建筑形式也较为适合安装,我国大部分农村的日照条件也能满足太阳能热水器的应用条件,因此适合在农村地区大力推广。一般农村家庭安装了太阳能热水器还可以节省薪柴、煤、电等用于热水的能源消费,减轻农民的负担。三是风电是目前技术比较成熟,发展最快的可再生能源发电技术。对于具有风能资源的农村地区,尤其在偏远的、电网覆盖不到的农村,鼓励推广发展适用的小型风能是可行的。四是我国小水电资源丰富,开发利用潜力大。据统计,我国经济可开发的 5 万千瓦以下的小水电资源量为 1.25 亿千瓦,分布非常广泛,遍及全国 30 个省(区、市)的1600多个县(市)。目前水电的设计、施工及运行管理技术已非常成熟,电价较之常规能源相差不大。

三、县级以上人民政府应当对农村地区的可再生能源利用项目提供财政支持。以有限的农村资金目前还无法承担发展农村可再生能源的重任,因此农村可再生能源的开发利用,离不开政府的支持。近年来,国家对适宜农村发展的可再生能源项目也投入了较多的资金。如在国债项目资金中安排农村小水电建设;在发展农村沼气利用方面,以实施试点项目的方式带动农村沼气利用的发展,中央财政每年安排农村公益设施建设补助资金和农村能源综合建设专项资金,用于支持以农村户用沼气为纽带的各类能源生态模式工程建设;同时还投入大量资金在偏远地区投资建设太阳能、风能等可再生能源发电项目。这些项目的实施取得了很好的效果。

第五章　价格管理与费用补偿

本章主要明确了可再生能源发电项目的上网电价的定价原则,以及按照确定的上网电价收购可再生能源电量高于按照常规能源平均上网电价的费用部分,由在全国范围对销售电量征收可再生能源电价附加补偿。同时,对进入城市管网的可再生能源热力和燃气的价格的确定作了规定。本章规定的是鼓励、促进可再生能源发展的重要制度。

第十九条　可再生能源发电项目的上网电价,由国务院价格主管部门根据不同类型可再生能源发电的特点和不同地区的情况,按照有利于促进可再生能源开发利用和经济合理的原则确定,并根据可再生能源开发利用技术的发展适时调整。上网电价应当公布。

依照本法第十三条第三款规定实行招标的可再生能源发电项目的上网电价,按照中标确定的价格执行;但是,不得高于依照前款规定确定的同类可再生能源发电项目的上网电价水平。

【释义】　本条是关于可再生能源发电项目上网电价的定价根据和定价原则的规定。

一、按照国家发改委发布的《上网电价管理暂行办法》的规定，上网电价是指发电企业与购电方进行上网电能结算的价格。考虑到可再生能源较常规能源的成本高，可再生能源企业还不具备参与市场竞争的条件，本条规定对可再生能源发电项目上网电价实行政府定价和招标定价，不参与竞价上网，即由国务院价格主管部门确定可再生能源发电项目的上网电价，或者按照中标确定的价格执行。

二、对可再生能源发电项目的上网电价，本法确立了可以按照可再生能源类型和地区分别确定上网电价的规定，内容包括制定不同技术种类和不同地区可再生能源发电上网电价水平，确定价格适用期限、调整办法等。我国可再生能源分为风能、太阳能、水能、生物质能、地热能、海洋能等类型。由于受地理、气候影响，在现有资源、技术和经济条件下，不同可再生能源种类之间发电成本仍然有相当大的差别，相同的可再生能源在不同地区之间发电成本也可能有相当大的差别。在当前发展阶段，可再生能源发电成本通常要高于常规能源发电成本，可再生能源电力还不能与常规能源电力直接竞价上网。因此，在一定的时期内可再生能源发电还需要建立政府定价性质的分类、分地区上网电价制度，相应要根据不同类型可再生能源发电的特点和不同地区的情况，由国务院价格主管部门分别确定不同的上网电价，以保证在不同地区、不同时段开发利用不同可再生能源获得大体上相同的投资回报，保障不同类型、不同地区的可再生能源电力能够获得比较均衡的发展。

三、本条确立可再生能源发电项目的上网电价的两个定价原则：一是有利于促进可再生能源开发利用的原则；二是经济合理的原则。所谓有利于促进可再生能源开发利用的原则，是指所确定的上网电价和适用期限，应当体现电力成本和合理利润，可以确保可再生能源电力开发商在一定的经营期内可以得到合理的投资回报，避免价格过低或者规定的价格期限过短带来难以承受的投资风险，以吸引投资商积极开发利用可再生能源，起到促进可再生能源电力发展的作用。所谓经济合理的原则，是指所确定的上网电价和适用期限，应当体现经济合理性和经济效益，在规定的上网电价和期限内，可再生能源电力开发商所获得的平均利润大致相当于整个电力行业的平均水平，不对可再生能源电力开发商形成过度保护。两个定价原则是有机统一的，体现了既从经济技术条件的实际出发，又要促进可再生能源的发展。

随着可再生能源电力装备制造业生产规模扩大和技术、管理水平的提高，可再生能源电力装备的生产成本和价格总体上将逐步下降，构成可再生能源电力生产成本主要因素的装备投资成本也会相应逐步下降。因此，对应新的可再生能源电力生产成本，对新的可再生能源电力投资项目，价格主管部门规定的上网电价也需要适时调整，使其所获得的投资回报保持在经济合理的范围内，并使社会分担的可再生能源发电的额外费用逐步下降。公布上网电价，目的是使社会各界广泛获得有关价格信息，起到吸引投资者，加快可再生能源开发利用的作用。

四、本法规定，建设应当取得行政许可的可再生能源并网发电项目，有多人申请同一项目许可的，应当依法通过招标确定被许可人。本条第二款对规定实行招标的可再生能源发电项目的上网电价，实行按照中标确定的价格执行的特殊规定。同时规定，中标确定的价格不得高于依照政府价格主管部门确定的同类可再生能源发电项目的上网电价水平，一是限制若干开发商在竞争同一开发区块时合谋获得更高的上网电价和相应的超额利润；二是促使投标的开发商在规定电价的基础上进一步降低上网电价，推动形成合理的竞争机制。2006年国家发改委公布的《可再生能源发电价格和费用分摊管理试行办法》规定，可再生能源发电价格实行政府定价和政府指导价两种形式。政府指导价即通过招标确定的中标价格。该办法对风力发电、太阳能发电、生物质发电、地热能和海洋能发电制定了相应的定价政策。2009 年国家发改委《关于完善风力发电上网电价政策的通知》，又对《可再生能源发电价格和费用分摊管理试行办法》作了进一步完善。

第二十条　电网企业依照本法第十九条规定确定的上网电价收购可再生能源电量所发生的费用，高于按照常规能源发电平均上网电价计算所发生费用之间的差额，由在全国范围对销售电量征收可再生能源电价附加补偿。

【释义】　本条是对收购可再生能源电量所发生的高出费用实行附加补偿的规定。

一、原可再生能源法第二十条规定："电网企业依照本法

第十九条规定确定的上网电价收购可再生能源电量所发生的费用,高于按照常规能源发电平均上网电价计算所发生费用之间的差额,附加在销售电价中分摊。具体办法由国务院价格主管部门制定。”这次修改将上述规定中的“附加在销售电价中分摊”修改为“由在全国范围对销售电量征收可再生能源电价附加补偿”,同时删去“具体办法由国务院价格主管部门制定”。

根据原可再生能源法规定,可再生能源电价附加通过电网企业网间结算方式调配,国家财政设立可再生能源发展专项资金,用于支持可再生能源开发利用项目。“费用分摊”制度,为促进可再生能源发展发挥了重要作用。但在实施中也遇到了一些问题:一是可再生能源电价附加计为电网企业收入,需要缴纳增值税和所得税等税款。二是可再生能源电价附加资金调配周期长,补贴资金不能及时到位,电力企业资金压力较大。三是从长远来看,附加资金规模会不断扩大。可再生能源附加和可再生能源专项资金分别调配、分开使用不能形成合力,不利于有效促进可再生能源的发展。因此,将可再生能源电价附加及可再生能源发展专项资金改为基金方式征收和统一调配。修改决定将原可再生能源法第二十条关于可再生能源电价附加和第二十四条关于可再生能源发展专项资金的规定合并修改为以下内容:一是国家财政设立政府基金性质的可再生能源发展基金,资金来源包括国家财政年度安排的专项资金和依法征收的可再生能源电价附加收入等。二是可再生能源发展基金用于补偿电网企业收购可再生能源电量所发生的高于常规能源发电平均上网电价所发生费用的部分，以及国家投资或者补贴建设的公共可再生能源独立电力系统合理的运行和管理费用超出销售电价的部分，并用于原可再生能源发展专项资金支持的事项。三是电网企业为收购可再生能源电量而支付的合理的接网费用以及其他合理的相关费用，电网企业不能通过销售电价回收的，可以申请可再生能源发展基金补助。

二、本条所指可再生能源电价附加，是指为扶持可再生能源发展而在全国销售电量上均摊的加价标准。电网企业依照本法第十九条规定确定的上网电价收购可再生能源电量所发生的费用，高于按照常规能源发电平均上网电价计算所发生费用之间的差额，由在全国范围对销售电量征收可再生能源电价附加补偿。由于大多数可再生能源产业尚处于产业发展的初级阶段，受技术和成本的制约，目前除水电可以与煤炭等常规能源发电相竞争外，其他可再生能源的开发利用成本都相对较高，还难以与煤炭等常规能源发电技术相竞争。同时，由于可再生能源资源地理上分布不均匀，如我国风能资源主要分布在西北、华北、东北地区，如果可再生能源发电的较高上网电价全部由当地企业和居民承担，而该地区用电量又相对较少，必将制约当地积极性，从而影响可再生能源的开发利用。补偿制度的核心是要求各个地区的电力消费者相对公平地承担发展可再生能源的额外费用。根据 2007 年国家发改委颁发的《可再生能源电价附加收入调配暂行办法》规定，可再生能源电价附加由省级电网企业按照国务院价格主管部门统一核定的标准和范围随电费向终端用户收取并归集，单独记账，专款专用。可再生能源发电项目上网电价高于当地脱硫燃煤机组标杆上网电价的部分、国家投资或补贴建设的公共可再生能源独立电力系统运行维护费用高于当地省级电网平均销售电价的部分，通过向电力用户征收电价附加的方式解决。可再生能源电价附加向省级及以上电网企业服务范围内的电力用户（包括省网公司的趸售对象、自备电厂用户、向发电厂直接购电的大用户）收取。可再生能源电价附加按电力用户实际使用的电量计收，全国实行统一标准。

第二十一条　电网企业为收购可再生能源电量而支付的合理的接网费用以及其他合理的相关费用，可以计入电网企业输电成本，并从销售电价中回收。

【释义】　本条是有关电网企业为收购可再生能源电量所支付费用计入电网企业输电成本并从销售电价中回收的规定。

一、电网企业承担为社会提供普遍电力输配售服务的义务，其提供输配售服务所发生的费用，应当按照法定程序和办法纳入销售电价回收。可再生能源电力成本包括发电成本和电网成本，其中电网成本主要是电网企业为可再生能源发电项目提供输配电服务所支出的费用。按照国家发改委有关电价改革实施办法中《输配电价管理暂行办法》的规定，有关的电网成本实际上由共用网络输配、专项服务和辅助服务等成本构成，有关的接网费用属于专项服务的成本。每项成本又由折旧费和运行维护费用构成,其中折旧费以政府价格主管部门核准的有效资产中可计提折旧的固定资产原值和国务院价格主管部门制定的定价折旧率为基础核定,运行维护费用原则上以电网经营企业的社会平均成本为基础核定。

二、销售电价是指电网企业对终端用户销售电能的价格。销售电价由购电成本、输配电损耗、输配电价及政府性基金四部分构成。购电成本指电网企业从发电企业或其他电网购入电能所支付的费用及依法缴纳的税金,包括所支付的容量电费、电度电费。输配电损耗指电网企业从发电企业(含电网企业所属电厂)或其他电网购入电能后,在输配电过程中发生的正常损耗。输配电价指电网企业提供接入系统、联网、电能输送和销售服务的价格总称。

依照本法规定,电网企业为收购可再生能源电量而支付的合理的接网费用,可以计入电网企业输电成本,并从销售电价中回收。可再生能源的发电项目通常受资源地理分布和资源密度低的直接影响,一般规模较小,位置偏远,距离主网较远,电网接入系统工程,即电厂至接入电网第一落点专用输电工程是可再生能源发电项目建设不可缺少的组成部分,建设和运营费用也相对较高,由可再生能源发电投资者承担相关接网费用,将制约可再生能源发电的发展进程。把相关接网费用直接纳入输电成本,并按照国家发改委有关电价改革的实施办法,以输配电价的形式从销售电价中回收,符合本法的立法原则,也同第二十条有关规定相互衔接,对促进可再生能源发电具有重要作用。接网费用以外的其他合理的相关费用，由于要进入输电成本，其范围和数额需要按照国务院价格主管部门有关输电成本的规定予以核定。但电网企业为适应可再生能源发电不确定性所增加的自备发电容量，其相关费用依照国家发改委有关电价改革的实施办法，已经按合理补偿成本、合理确定收益和依法计入税金的原则核定，不适用本条的有关规定。本条规定的接网费用以及其他相关费用，电网企业不能通过销售电价回收的，还可以申请可再生能源发展基金补助。

第二十二条　国家投资或者补贴建设的公共可再生能源独立电力系统的销售电价，执行同一地区分类销售电价，其合理的运行和管理费用超出销售电价的部分，依照本法第二十条的规定补偿。

【释义】　本条是有关公共可再生能源独立电力系统销售电价及其运行和管理费用补偿的规定。

一、目前我国一些贫困地区电网尚未覆盖，中央和地方政府通过政府投资或者给予一定比例的财政补贴，用以解决公共可再生能源独立电力系统的建设。同时，为了解决其运行和管理费用较高，用户电价负担较重的问题，本法参照有关对农村用户的销售电价实行城乡用电同网同价的政策规定，规定公共可再生能源独立电力系统的销售电价执行同一地区上述的分类销售电价。公共可再生能源独立电力系统用户用电量小，且多为居民生活、农业生产用电，按照规定实行单一制电度电价。其销售电价随地区销售电价而定。

二、原可再生能源法第二十二条规定，公共可再生能源独立电力系统合理的运行和管理费用超出销售电价的部分，要依照本法第二十条规定的办法分摊。这次修改决定对原第二十条作了修改，对原第二十二条作了相应修改，将“依照本法第二十条规定的办法分摊”改为“依照本法第二十条的规定补偿”。这一规定确立了由电力用户分担部分公共可再生能源独立电力系统运行和管理费用的制度，体现了国家扶持在电网未覆盖的地区建设公共可再生能源独立电力系统的政策。

第二十三条　进入城市管网的可再生能源热力和燃气的价格，按照有利于促进可再生能源开发利用和经济合理的原则，根据价格管理权限确定。

【释义】　本条是有关进入城市管网的可再生能源热力和燃气定价的规定。

一、对可再生能源热力和燃气生产企业的热力和燃气，进入城市热力管网和燃气管网，适用同可再生能源发电项目同样的定价原则，一是有利于促进可再生能源的开发利用，二是经济合理。确定的热力和燃气的价格以及适用的期限，应当体现热力和燃气成本和合理利润，可以确保可再生能源热力和燃气开发商在一定的经营期内可以得到合理的投资回报，避免价格过低或者规定的价格期限过短带来难以承受的投资风险。同时，也应当体现经济合理性和经济效益，体现热力、燃气生产单位，热力、燃气公司和热力、燃气用户三者利益的平衡，在规定的热力和燃气价格以及适用期限内，可再生能源热力和燃气开发商所获得的平均利润大致相当于整个热力和燃气生产行业的平均水平，不对可再生能源热力和燃气企业形成过度保护。

二、按照有关价格的法律法规规定，对城市重要的公用事业价格，如城市热力和燃气价格，可以实行政府指导价或者政府定价。政府指导价、政府定价的定价权限和具体适用范围，以中央和地方的定价目录为依据。中央定价目录由国务院价格主管部门制定、修订，报国务院批准后公布；地方定价目录由省、自治区、直辖市人民政府价格主管部门按照中央定价目录规定的定价权限和具体适用范围制定，经本级人民政府审核同意，报国务院价格主管部门审定后公布。省、自治区、直辖市人民政府以下各级地方人民政府不得制定定价目录。进入城市管网的城市热力、燃气，其价格管理权限，依照有关价格的法律法规规定，由中央和地方的定价目录确定。

第六章 经济激励与监督措施

大力发展可再生能源,需要国家在资金、信贷、税收等方面给予支持,依法建立和采取促进可再生能源发展的经济激励机制与监督措施。本章共有4条,主要内容包括:国家财政设立可再生能源发展基金;对列入可再生能源产业发展指导目录的开发利用项目的优惠贷款和税收支持;对电力企业进行相关检查和监督。

第二十四条 国家财政设立可再生能源发展基金,资金来源包括国家财政年度安排的专项资金和依法征收的可再生能源电价附加收入等。

可再生能源发展基金用于补偿本法第二十条、第二十二条规定的差额费用,并用于支持以下事项:

(一)可再生能源开发利用的科学技术研究、标准制定和示范工程;

(二)农村、牧区的可再生能源利用项目;

(三)偏远地区和海岛可再生能源独立电力系统建设;

(四)可再生能源的资源勘查、评价和相关信息系统建设;

（五）促进可再生能源开发利用设备的本地化生产。

本法第二十一条规定的接网费用以及其他相关费用，电网企业不能通过销售电价回收的，可以申请可再生能源发展基金补助。

可再生能源发展基金征收使用管理的具体办法，由国务院财政部门会同国务院能源、价格主管部门制定。

【释义】 本条是对国家财政设立可再生能源发展基金以及资金来源、用途及征收使用管理的规定。

一、原可再生能源法第二十四条规定，国家财政设立可再生能源发展专项资金，用于支持可再生能源的5类建设项目。本次修改总结了可再生能源法有关可再生能源发展专项资金、可再生能源电价附加费用征收规定的实践经验，规定国家财政新设立可再生能源发展基金，将国家财政年度安排的可再生能源发展专项资金、依法征收的可再生能源电价附加收入等纳入基金管理，以建立促进可再生能源发展的长效经济激励机制。

按照原可再生能源法第二十条及有关征收可再生能源电价附加收入办法规定，可再生能源电价附加向省级及以上电网企业服务范围内的电力用户（包括省网公司的趸售对象、自备电厂用户、向发电厂直接购电的大用户）收取（地县自供电网、西藏地区以及从事农业生产的电力用户暂时免收），自2006年6月30日起按照每千瓦时1厘钱的标准在销售电价中征收；自2008年7月开始征收标准为每千瓦时2厘钱（对居民生活用电和化肥生产用电仍维持原标准）。2009年预计征收45亿元左右。这些可再生能源电价附加通过电网企业间结算方式调配。存在的主要问题：一是可再生能源电价附加计为电网企业收入，电网企业所缴纳的增值税和所得税等要占全部附加资金的1/3，也就是说可再生能源电价附加收入相当部分资金已作为税收收入，而未全部用于支持可再生能源发展。二是资金调配周期长，资金不能及时到位，可再生能源发电企业资金压力较大。在可再生能源发展专项资金投入方面，近年来，国务院有关部门也出台了可再生能源建筑应用、农村沼气项目建设、风力发电设备产业化等方面的专项资金管理办法，初步形成了可再生能源发展专项资金体系。但资金来源渠道、额度、使用范围不固定、不连续，不能给予可再生能源发展以长期稳定的资金支持。

设立可再生能源发展基金是国际上很多国家推进可再生能源发展所采用的有效办法。一些发达国家通过建立公共利益基金来支持可再生能源的发展，基金的筹集渠道也呈多样化。从我国基金管理的实际情况出发，将现有的可再生能源电价附加和可再生能源发展专项资金统筹起来，用政府基金的方式统一管理和使用，既能避免对可再生能源电价附加的征税，又能集合有限的财力，更有效地发挥其扶持我国可再生能源产业的作用。为此，本次可再生能源法修改对现行可再生能源开发利用的财政支持制度作了修改和完善，明确规定国家财政设立可再生能源发展基金，将可再生能源电价附加和可再生能源发展专项资金纳入可再生能源发展基金，予以统一管理和使用。

二、根据本条第一款的规定,可再生能源发展基金为国家财政设立的政府性基金。可再生能源发展基金的资金来源主要有两方面:一是由中央财政按年度安排的支持可再生能源发展的专项资金;二是依照本法第二十条规定征收的可再生能源电价附加收入。

三、根据本条第二款和第三款的规定,可再生能源发展基金的用途和使用范围是:一是补偿电网企业收购可再生能源电量所发生的高于常规能源发电平均上网电价费用的部分;二是补偿国家投资或者补贴建设的公共可再生能源独立电力系统合理的运行和管理费用超出销售电价的部分;三是支持可再生能源开发利用的科学技术研究、示范工程;四是农村、牧区的可再生能源利用项目;五是偏远地区和海岛的可再生能源利用项目;六是可再生能源的资源勘查、评价和相关信息系统建设;七是促进可再生能源开发利用设备的本地化生产。此外,电网企业为收购可再生能源电量而支付的合理的接网费用以及其他合理的相关费用,计入电网企业输电成本后,通过销售电价仍不能回收的,也可以申请可再生能源发展基金补助。

四、可再生能源发展基金征收使用管理,本法授权国务院财政部门会同国务院能源、价格主管部门制定具体办法。可再生能源发展基金作为政府基金,应当符合有关行政法规和国家有关规定。

第二十五条　对列入国家可再生能源产业发展指导目录、符合信贷条件的可再生能源开发利用项目，金融机构可以提供有财政贴息的优惠贷款。

【释义】　本条是对列入国家可再生能源产业指导目录的项目给予财政贴息优惠贷款的规定。

一、金融机构对符合规定的可再生能源开发利用项目给予财政贴息优惠贷款支持。可再生能源开发利用项目相对常规能源而言一般投资较高，回收期较长，融资难度较大。因此，通过提供优惠的信贷支持，降低贷款利率，延长还款期限，对降低可再生能源产品成本，促进可再生能源开发利用是十分必要的。

二、根据本条规定，金融机构对可再生能源开发利用项目提供有财政贴息的优惠贷款支持需要具备两个条件：一是可再生能源开发利用项目应当列入国家可再生能源产业发展指导目录；二是可再生能源开发利用项目要符合信贷条件。

国家可再生能源产业发展指导目录是指在一定时期内，由国务院能源主管部门根据全国可再生能源开发利用规划制定并公布的、国家可再生能源技术和产品的优先发展领域或鼓励发展领域的指南，其制定是以国家经济技术条件为基础，体现了国家可再生能源的产业政策，明确了对不同类型的可再生能源发展有所侧重、区别对待政策。本法规定了六种可再生能源，这六种可再生能源的利用技术发展情况是不同的，有的利用技术相对成熟，具备一定的商业化产业化发展条件，有的则不具备。因此，从我国经济技术条件出发，制定、公布国家可再生能源产业发展指导目录，作为引导金融机构提供有财政贴息的优惠贷款支持是必要的。2005 年 11 月，国家发改委印发了《可再生能源产业发展指导目录》，涵盖了风能、太阳能、生物质能、地热能、海洋能和水能六个领域的 88 项可再生能源开发利用和系统设备装备制造项目。申请有财政贴息的优惠贷款的可再生能源开发利用项目首先应当列入上述可再生能源产业发展指导目录。同时，金融机构作为企业，对已被列入国家可再生能源产业发展指导目录的项目，还要按照规定对其是否符合信贷条件进行审查，符合信贷条件的，金融机构才会向其提供有财政贴息的优惠贷款。

三、目前，根据有关规定，对可再生能源的开发利用给予财政贷款贴息方式，主要用于列入国家可再生能源产业发展指导目录、符合信贷条件的可再生能源开发利用项目，在银行贷款到位、项目承担单位或者个人已支付利息的前提下，可以安排贴息资金。贴息资金根据实际到位银行贷款、合同约定利息率以及实际支付利息数额确定，贴息年限为 1 ~ 3 年，年贴息率最高不超过 3% 。

第二十六条　国家对列入可再生能源产业发展指导目录的项目给予税收优惠。具体办法由国务院规定。

【释义】　本条是对列入可再生能源产业发展指导目录的项目国家给予税收优惠的规定。

一、国家对列入可再生能源产业发展指导目录的项目给予税收优惠。原来风电机组整机的进口关税为 5%，进口环节增值税为17%,两项合计的税率达23%,仅此就将风电场造价提高了将近1000元/千瓦。国家对风电从2001年起开始实行增值税减半征收,即8.5%。在关税上,也只对国内投资的风力发电项目,在投资总额内进口的自用设备,除《国内投资项目不予免税的进口商品目录》所列商品外,免征关税。煤电增值税需扣除煤炭增值部分其增值税率则较风电低,约7%~8%。这就使得可再生能源开发利用项目与常规能源税赋不平等,难以在市场经济条件下平等竞争。因此国家采取税收优惠政策扶持可再生能源发展是必要的。

二、本条规定,国家对列入可再生能源产业发展指导目录的项目给予税收优惠。这一规定与本法关于金融机构可以对列入国家可再生能源产业发展指导目录的可再生能源开发利用项目提供有财政贴息的优惠贷款的规定一样,都明确了符合国家可再生能源产业发展指导目录,才能享受信贷、税收优惠。按照本条规定,列入《可再生能源产业发展指导目录》的风能、太阳能、生物质能、地热能、海洋能和水能六个领域的88项可再生能源开发利用和系统设备装备制造项目可以给予税收优惠。税收优惠包括减税、免税,是国家根据一定时期经济、社会发展的需要,对特定行业、特定产品、特定纳税人所给予的减少征收或者免除征收应纳税款义务的鼓励性、照顾性措施,体现了国家税法的统一性与灵活性。减税、免税是一种特殊的经济调节手段。我国对减免税权限规定的非常严格,减税、免税的税收优惠措施只能由法律、行政法规作出规定,或者由法律、行政法规授权国务院作出具体规定。除此以外,任何单位和个人都无权实施减税、免税。

三、考虑到今后有关税收改革的情况,本条对可再生能源的开发利用给予税收优惠只作原则规定,具体的税收优惠办法由国务院规定。这样规定比较原则灵活,为以后的税收改革适用本法留有了余地。

四、目前我国可再生能源开发利用方面已有的税收优惠主要包括:

1. 县以下小型水力发电单位生产的电力可按照6%征收率计算缴纳增值税。

2. 对外商投资建设风力发电场采购的国产装备,按照《国务院办公厅转发外经贸部等部门"关于当前进一步鼓励外商投资的意见"的通知》,可在增值税和企业所得税方面享受优惠政策。

3. 对国内投资的水力发电、热电联产、太阳能、地热能、海洋能、生物质能及风力发电等项目,在投资总额内进口的自用设备,除《国内投资项目不予免税的进口商品目录》所列商品外,免征关税和进口环节增值税。

4. 企业技术改造项目凡使用达到《当前国家鼓励发展的环保产业设备(产品)目录》中规定标准的国产风力发电机组、太阳能光伏发电设备、风光互补户用供电系统装置、风光柴油蓄供电系统装置、光伏水泵系统装置、秸秆等生物质气化成套设备、太阳能、地热冷热水机组等国产设备,按照财政部、国家税务总局《关于印发〈技术改造国产设备投资抵免企业所得税暂行办法〉的通知》的规定,享受投资抵免企业所得税的优惠政策；企业使用上述设备，经企业提出申请，报主管税务机关批准后，可实行加速折旧办法；对专门生产上述设备（产品）的企业，在符合独立核算、能独立计算盈亏的条件下，其年度净收入在30万元（含30万元）以下的，暂免征收企业所得税，超过30万元的部分，依法缴纳企业所得税。

5. 自2001年1月1日起，对利用城市生活垃圾生产的电力实行增值税即征即退的政策；对利用煤矸石、煤泥、油母页岩和风力生产的电力实行按增值税应纳税额减半征收的政策。

6. 企业在原设计规定的产品以外，综合利用本企业生产过程中产生的酿酒、酒精、制糖、制药、味精、柠檬酸、酵母废液作主要原料生产的沼气所得，利用工矿废水、城市污水及处理产生的污泥和畜禽养殖污水生产的沼气、电力、热力及燃料所得，利用生活垃圾地热、农林废弃物生产的电力、热力所得，利用废动、植物油，生产生物柴油及特种油料所得自生产经营之日起，免征所得税5年；为处理利用其他企业废弃的上述废弃物而新办的企业，经主管税务机关批准后，可减征或者免征所得税1年。

7. 在应用车用燃料乙醇汽油方面的税收，对吉林、河南、安徽、黑龙江4个变性燃料乙醇生产企业，免征用于调配车用乙醇汽油的变性燃料乙醇5%的消费税。上述企业生产调配车用乙醇汽油使用变性燃料乙醇的增值税实行先征后返。对吉林、河南、黑龙江三省在生产、调配和销售变性燃料乙醇过程中发生的亏损，中央财政实行定额补贴，在2004年共补贴

5.4 亿元。

8. 自 2006 年 1 月 1 日起至 2008 年 12 月 31 日止,对纳税人以三剩物和次小薪材为原料生产加工的综合利用产品由税务部门实行增值税即征即退办法。纳税人应单独核算该综合利用产品的销售额和增值税销项税额、进项税额或应纳税额。不符合上述要求的,不适用即征即退政策。自 2009 年 1 月 1 日起至 2010 年 12 月 31 日,对纳税人销售的以三剩物、次小薪材、农作物秸秆、蔗渣 4 类农林剩余物为原料自产的综合利用产品由税务机关实行增值税即征即退办法,具体退税比例 2009 年为 100%、2010 年为 80%。

9. 对在西部地区投资新办的从事电力运营的企业,项目业务收入占企业总收入 70% 以上的,可以享受企业所得税如下优惠政策:内资企业自开始生产经营之日起,第一年至第二年免征企业所得税,第三年至第五年减半征收企业所得税;外商投资企业经营期在 10 年以上的,自获利年度起,第一年至第二年免征企业所得税,第三年至第五年减半征收企业所得税。

第二十七条　电力企业应当真实、完整地记载和保存可再生能源发电的有关资料,并接受电力监管机构的检查和监督。

电力监管机构进行检查时,应当依照规定的程序进行,并为被检查单位保守商业秘密和其他秘密。

【释义】　本条是关于电力监管机构对电力企业进行检

查和监督的规定。

一、可再生能源的开发利用的主要形式是可再生能源发电。本法规定的可再生能源发电项目的强制上网和费用补偿制度以及享受政府可再生能源发展基金、信贷、税收等方面的优惠必须是真实无误地用于可再生能源的开发利用。如果电力企业弄虚作假，没有真实、完整、准确地记载和保存可再生能源发电的有关资料、记录，势必影响以此计算的生产、收购和销售的可再生能源发电电量的真实性，使国家法律强制性保障促进可再生能源开发利用的措施不能发挥其应有的作用，侵犯国家、企业和电力用户的利益。因此，电力企业应当真实、完整地记载和保存可再生能源发电的有关资料，并接受电力监管机构的检查和监督。真实、完整地记载和保存可再生能源发电的有关资料是电力企业的义务。本条规定的“电力企业”既包括可再生能源发电企业，也包括电网企业。电网企业根据本法规定全额收购可再生能源并网发电项目的上网电量。可再生能源发电企业向电网企业传送的上网电量、电网企业收购有关可再生能源发电企业的上网电量应是一致的。可再生能源发电的有关资料记录了可再生能源发电企业、电网企业的上网电量及收购情况，是企业实现合法收益或进行成本核算的基本要求，必须真实、完整地记载和保存。至于如何记载、保存期多长，可由国家电力监管机构作出规定。本条规定的“电力监管机构”是指国家电力监管委员会，其重要职责是负责全国电力监管工作，建立统一的电力监管体系；按照国家有关规定对发电企业在各电力市场中所占份额的比例实施监管;对发电厂并网、电网互联以及发电厂与电网协调运行中执行有关规章、规则的情况实施监管。

二、企业从事生产经营活动,通常要按照自制的规划、计划、技术标准、生产流程等规定进行,这些指导生产经营的企业内部文件资料在很大程度上反映了产品数量、质量和销售情况。执法机关检查和掌握企业进行生产经营的相关资料,是对其进行监督检查的重要方式。电力监管机构在依法履行其监管职责时,依法有权要求电力企业、电力调度交易机构报送与监管事项相关的文件、资料;电力企业、电力调度交易机构应当如实提供有关文件、资料。对电力企业拒绝或者阻碍电力监管机构及其工作人员依法履行监管职责的,电力监管机构有权依照《电力监管条例》予以处罚。

三、电力监管机构依法履行职责,可以采取下列监督检查措施:一是进入电力企业、电力调度交易机构进行检查;二是询问电力企业、电力调度交易机构的工作人员,要求其对有关检查事项作出说明;三是查阅、复制与检查事项有关的文件、资料,对可能被转移、隐匿、损毁的文件、资料予以封存;四是对检查中发现的违法行为,有权当场予以纠正或者要求限期改正。依法从事电力监管工作的人员在进行现场检查时,应当出示有效执法证件;未出示有效执法证件的,电力企业、电力调度交易机构有权拒绝检查。

四、电力监管机构在对电力企业进行检查和监督时应当为被检查单位保守商业秘密和其他秘密。所谓“商业秘密”,是指不为公众所知悉、能为权利人带来经济利益、具有实用性并经权利人采取保密措施的技术信息和经营信息。商业秘密包括保密的技术信息（即技术秘密）和保密的经营信息（即业务秘密）。其中，技术秘密包括采取保密措施的有关技术诀窍等内容；业务秘密包括有关的经营决策、客户资料等方面的内容。无论是商业秘密还是其他秘密都属于企业的秘密，一旦泄露出去，将会对企业的生产经营造成不利影响，甚至造成直接的经济损失或其他损失。因此，为企业保守上述秘密是电力监管机构的法定义务。

第七章　法律责任

“法律责任”一章共4条，对负责可再生能源开发利用工作的管理部门，电网企业，经营燃气管网、热力管网的企业和石油销售企业违反本法的行为所应承担的法律责任作出了规定。

第二十八条　国务院能源主管部门和县级以上地方人民政府管理能源工作的部门和其他有关部门在可再生能源开发利用监督管理工作中，违反本法规定，有下列行为之一的，由本级人民政府或者上级人民政府有关部门责令改正，对负有责任的主管人员和其他直接责任人员依法给予行政处分；构成犯罪的，依法追究刑事责任：

（一）不依法作出行政许可决定的；

（二）发现违法行为不予查处的；

（三）有不依法履行监督管理职责的其他行为的。

【释义】　本条是关于负责可再生能源开发利用工作的管理部门违反本法规定所应承担法律责任的规定。

一、承担本条规定的法律责任的主体是国务院能源主管部门和县级以上地方人民政府管理能源工作的部门和其他有关部门。其他有关部门是指依照本法规定与可再生能源开发利用工作有关的管理部门，包括科技、农业、水利、国土资源、建设、环境保护、林业、海洋、气象等有关部门。

二、依照本条规定，国务院能源主管部门和县级以上地方人民政府管理能源工作的部门和其他有关部门有下列三种行为之一的，应当承担法律责任：

1. 不依法作出行政许可决定。本法第十三条规定，建设可再生能源并网发电项目，应当依照法律和国务院的规定取得行政许可。建设应当取得行政许可的可再生能源并网发电项目，有多人申请同一项目许可的，应当依法通过招标确定被许可人。负责可再生能源开发利用工作的管理部门应当依照本法及行政许可法、招标投标法等法律、国务院关于投资体制改革的决定等规定向符合条件的申请人作出行政许可。对不符合法定条件的申请人作出行政许可、超越职权作出行政许可、对符合法定条件的申请人不予作出行政许可，以及不在法定期限内作出行政许可的，都构成违法，应当承担本条规定的法律责任。

2. 发现违法行为或者接到对违法行为的举报后不予查处。本法明确了国务院能源主管部门和县级以上地方人民政府管理能源工作的部门和其他有关部门在可再生能源开发利用监督管理工作中进行监督管理的职责，负责可再生能源开发利用工作的管理部门应当依法履行自己的职责，对发现的违法行为或者接到对违法行为的举报后应当立即予以查处；如发现违法行为或者接到对违法行为的举报后不予查处的，即构成违法，应当承担本条规定的法律责任。

3. 有不依法履行监督管理职责的其他行为。在本条规定的前两种违法行为之外，负责可再生能源开发利用工作的管理部门有不依法履行监督管理职责的其他行为的，即构成违法，应当承担法律责任。不依法履行监督管理职责的行为方式可以是作为，也可以是不作为。

三、本条规定的法律责任有两种：一是行政责任；二是刑事责任。

1. 行政责任，是指违法行为人因实施违反本法规定的行为而引起的，由行政机关依法给予制裁的法律后果。按照本条规定，本级人民政府或者上级人民政府有关主管部门发现负责可再生能源开发利用工作的管理部门实施了上述列举的三种违法行为，应当以行政命令的方式责令其改正，违法的管理部门在接到责令改正的通知后，必须立即改正违法行为。尚不够刑事处罚的，对负有责任的主管人员和其他直接责任人员依法给予行政处分。行政处分，是指行政机关内部上级对下级以及监察机关、人事部门按照行政隶属关系，对违反政纪的人员依法给予的一种法律制裁。根据公务员法的规定，给予行政处分大致分为三种情况：一是对违法行为较轻，仍能担任现任职务的人员，可以给予警告、记过、记大过、降级处分；二是对违法行为较重，不宜继续担任现任职务的人员，给予降职、撤职或者留用察看处分；三是对严重违法失职，屡教不改的，可以给予开除处分。具体给予违法行为人何种处分，应当由其任免单位、监察机关根据不同情况作出。

2. 刑事责任，是指具有刑事责任能力的人实施了刑事法律所禁止的行为即犯罪行为所必须承担的法律后果。刑事责任是最严厉的法律责任。按照本条规定，国务院能源主管部门和县级以上地方人民政府管理能源工作的部门和其他有关部门实施上述三种违法行为之一，负有责任的主管人员和其他直接责任人员构成犯罪的，依法追究刑事责任。本条规定的刑事责任主要是渎职罪。

第二十九条　违反本法第十四条规定，电网企业未按照规定完成收购可再生能源电量，造成可再生能源发电企业经济损失的，应当承担赔偿责任，并由国家电力监管机构责令限期改正；拒不改正的，处以可再生能源发电企业经济损失额一倍以下的罚款。

【释义】　本条是关于电网企业未按照规定完成收购可再生能源电量，造成可再生能源发电企业经济损失所应承担的法律责任的规定。

一、本法第十四条规定，电网企业应当与按照可再生能源开发利用规划建设，依法取得行政许可或者报送备案的可再生能源发电企业签订并网协议，全额收购其电网覆盖范围内符合并网技术标准的可再生能源并网发电项目的上网电量。全额保障性收购制度是针对电网企业规定的法定义务，是促进可再生能源开发利用的重要强制措施，电网企业必须履行。对可再生能源发电企业来说，应当依法取得行政许可或者报送备案，其上网电力按照可再生能源开发利用规划建设，并符合国家可再生能源电力的并网技术标准。电网企业应当依法与可再生能源发电企业签订并网协议,全额收购其电网覆盖范围内的可再生能源并网发电项目的上网电量。电网企业未依法完成收购可再生能源电量,造成可再生能源发电企业经济损失的,应当承担本条规定的法律责任。

二、电网企业未按照规定完成收购可再生能源电量,造成可再生能源发电企业经济损失的,应当承担赔偿责任。

赔偿责任,是指以支付金钱的方式弥补受害方财产损失的责任形式。赔偿损失的范围可由法律直接规定,或由双方约定。法定损害赔偿是指由法律规定的,由致害方对受害方遭受损失承担的赔偿责任。本条规定为法定损害赔偿,实行完全赔偿原则,包括直接损失和间接损失。直接损失指财产上的直接减少。间接损失又称所失利益,指失去的可以预期取得的利益。电网企业与可再生能源发电企业的损害赔偿纠纷,可以协商解决,协商不成的,可以提起民事诉讼。

三、电网企业未按照规定完成收购可再生能源电量,造成可再生能源发电企业经济损失的,除应当承担赔偿责任外,还应由国家电力监管机构责令限期改正;拒不改正的,处以可再生能源发电企业经济损失额1倍以下的罚款。

责令限期改正,是指国家电力监管机构发现并确认电网企业未按照规定完成收购可再生能源电量,造成可再生能源发电企业经济损失的,以行政命令的方式责令该电网企业在一定期限内改正其违法行为。该电网企业在接到责令限期改正的通知后,必须在规定期限内予以改正,即按照规定完成收购可再生能源电量。如果电网企业拒不改正，就要给予行政处罚。行政处罚是指有行政处罚权的行政机关或者法律、法规授权的组织，对违反行政法律规范和依法应当给予处罚的行政相对人所实施的法律制裁行为，包括警告、罚款、没收违法所得和非法财物、责令停产停业、暂扣或者吊销许可证（执照）、行政拘留等。本条规定的行政处罚措施是罚款，罚款数额为可再生能源发电企业经济损失额1倍以下。具体数额由国家电力监管机构根据违法行为的轻重及造成后果的具体情况来确定。

第三十条　违反本法第十六条第二款规定，经营燃气管网、热力管网的企业不准许符合入网技术标准的燃气、热力入网，造成燃气、热力生产企业经济损失的，应当承担赔偿责任，并由省级人民政府管理能源工作的部门责令限期改正；拒不改正的，处以燃气、热力生产企业经济损失额一倍以下的罚款。

【释义】　本条是关于经营燃气管网、热力管网的企业不准许符合入网技术标准的利用生物质资源生产的燃气、热力入网，造成该燃气、热力生产企业经济损失所应承担的法律责任的规定。

一、本法第十六条第二款规定，利用生物质资源生产的燃气和热力，符合城市燃气管网、热力管网的入网技术标准的，经营燃气管网、热力管网的企业应当接收其入网。只要利用生物质资源生产的燃气和热力符合城市燃气管网、热力管网的入网技术标准，经营燃气管网、热力管网的企业就应当接收其入网。经营燃气管网、热力管网的企业不准许符合入网技术标准的燃气、热力入网，造成燃气、热力生产企业经济损失的，应当根据本条规定承担相应的法律责任。

二、经营燃气管网、热力管网的企业不准许符合入网技术标准的燃气、热力入网，造成燃气、热力生产企业经济损失的，应当承担赔偿责任。赔偿责任以其违法行为给燃气、热力生产企业造成的实际经济损失为限。

三、经营燃气管网、热力管网的企业不准许符合入网技术标准的燃气、热力入网，造成燃气、热力生产企业经济损失的，除承担赔偿责任外，还要由省级人民政府管理能源工作的部门责令限期改正，即责令其在规定的期限内准许符合入网技术标准的燃气、热力入网。如果经营燃气管网、热力管网的企业拒不改正，就要给予行政处罚，由省级人民政府管理能源工作的部门处以燃气、热力生产企业经济损失额 1 倍以下的罚款。

第三十一条　违反本法第十六条第三款规定，石油销售企业未按照规定将符合国家标准的生物液体燃料纳入其燃料销售体系，造成生物液体燃料生产企业经济损失的，应当承担赔偿责任，并由国务院能源主管部门或者省级人民政府管理能源工作的部门责令限期改正；拒不改正的，处以生物液体燃料生产企业经济损失额一倍以下的罚款。

【释义】　本条是关于石油销售企业未按照规定将符合

国家标准的生物液体燃料纳入其燃料销售体系，造成生物液体燃料生产企业经济损失所应承担的法律责任的规定。

一、本法第十六条第三款规定，石油销售企业应当按照国务院能源主管部门或者省级人民政府的规定，将符合国家标准的生物液体燃料纳入其燃料销售体系。石油销售企业未按照上述规定将符合国家标准的生物液体燃料纳入其燃料销售体系，造成生物液体燃料生产企业经济损失的，就应当承担本条规定的法律责任。

二、石油销售企业实施了未将符合国家标准的生物液体燃料纳入其燃料销售体系的违法行为，且造成生物液体燃料生产企业受到了实际经济损失的，应当承担本条规定的赔偿责任。赔偿责任以违反本法规定的石油销售企业给生物液体燃料生产企业造成的实际经济损失为限。

三、石油销售企业在依法承担赔偿责任的同时，还要承担行政法律责任，由国务院能源主管部门或者省级人民政府管理能源工作的部门责令其限期改正；拒不改正的，由国务院能源主管部门或者省级人民政府管理能源工作的部门处以生物液体燃料生产企业经济损失额1倍以下的罚款。

第八章　附　　则

本章“附则”对本法有关用语的含义和本法生效的日期作了规定。

第三十二条　本法中下列用语的含义：

（一）生物质能，是指利用自然界的植物、粪便以及城乡有机废物转化成的能源。

（二）可再生能源独立电力系统，是指不与电网连接的单独运行的可再生能源电力系统。

（三）能源作物，是指经专门种植，用以提供能源原料的草本和木本植物。

（四）生物液体燃料，是指利用生物质资源生产的甲醇、乙醇和生物柴油等液体燃料。

【释义】　本条是本法有关用语含义的规定。

一、本法所称“生物质能”，是指利用自然界的植物、粪便以及城乡有机废物转化成的能源。生物质能是可再生能源的一种，生物质的构成是有机质，包括自然界可用作能源用途的各种植物、人畜排泄物以及城乡有机废弃物，如薪柴、沼气、生物质气化气、生物柴油、燃料乙醇、林业加工废弃物、农作物秸秆、城市有机垃圾、工农业有机废水和其他野生植物等。生物质可以用来生产电能、交通和运输的燃料，或者化学制品。所有生物质用于能源目的的用途，称之为生物质能。生物质能利用技术主要分为两类：一类为传统利用生物质能，即采用直接燃烧方式（通过低效率炉灶直接燃烧薪柴、秸秆等生物质能的方式）；另一类为采用现代技术将其转换成为高品位的能源加以利用，这些技术包括农作物秸秆汽化和直接燃烧发电、工农业有机废水大中型沼气工程、生物质固化燃料、生物液体燃料、垃圾焚烧发电和填埋气发电。

二、本法所称“可再生能源独立电力系统”，是指不与电网连接的单独运行的可再生能源电力系统。这类系统一般用于边远地区和海岛以及无电网覆盖或难以并入电网的地区。可再生能源独立电力系统从技术种类看，有风电系统、光伏系统、小水电系统、生物质发电系统以及利用不同可再生能源技术和常规能源技术的互补系统。

三、本法所称“能源作物”，是指经专门种植，用以提供能源原料的草本和木本植物。能源作物包括用以提供能源的植物，如小桐子、油菜籽、蓖麻、漆树、黄连木、甜高粱、甘蔗、木薯等。光合作用使太阳能将二氧化碳和水转化为碳水化合物，即太阳能以化学能的形式固定和储存于其中的各种有机物。我国地处温带和亚热带，植物资源丰富，在不与农作物争地的情况下，可以有计划地发展能源作物，满足对生物液体燃料的原料的需要。

四、本法所称“生物液体燃料”，是指利用生物质资源生产的甲醇、乙醇和生物柴油等液体燃料。生物质是唯一可以直接转换为液体燃料的可再生能源。“利用生物质资源”应主要是利用非粮食为原料,因为随着世界人口的增长,用粮食作为生产原料会越来越受到限制。而利用草类、秸秆和树枝、树叶等木质纤维类物质生产液体燃料,如燃料酒精(也称为无水酒精或燃料乙醇)正成为世界各国积极研究开发的主要可再生能源之一。“生物柴油”是植物柴油和动物柴油的总称。植物柴油主要指从农业原料以及树木、藻类中获得的柴油代用品。动物柴油主要是由工业猪油、牛油、鱼油及废食用动物油得到的柴油代用品。生物柴油可生物降解、无毒、对环境无害,可以从可再生资源中提取。目前技术比较成熟、开发利用达到一定规模的生物液体燃料主要是乙醇和生物柴油。

第三十三条　本法自 2006 年 1 月 1 日起施行。

【释义】 本条是关于本法时间效力的规定。

一、法律的施行日期,即法律的生效时间,也称法律的时间效力,是指法律从何时起开始生效,到何时终止效力,以及法律对其公布以前的事件和行为是否具有溯及力的问题。《中华人民共和国可再生能源法》于 2005 年 2 月 28 日由第十届全国人大常委会第十四次会议通过,自 2006 年 1 月 1 日起施行,即从 2006 年 1 月 1 日起产生法律效力。需要说明的是,全国人大常委会关于修改《中华人民共和国可再生能源法》的决定,于 2009 年 12 月 26 日由十一届全国人大常委会第十二次会议通过,自 2010 年 4 月 1 日起施行。按照法律不溯及既往的原则，对2010年4月1日前发生的行为，即使涉及可再生能源法修改决定的内容，仍适用2005年制定的可再生能源法，而不适用修改决定。

二、2005年通过的可再生能源法和2009年通过的可再生能源法修改决定自颁布至施行均间隔一段时间。主要是因为施行前还有一些实施的准备工作要做，如国务院和国务院有关部门需要依据法律规定制定、完善配套规定；各级政府及有关主管部门和有关企业、个人需要宣传、学习法律等。

第二部分　附　　录

附录一：

全国人民代表大会常务委员会关于修改《中华人民共和国可再生能源法》的决定

（2009 年 12 月 26 日第十一届全国人民代表大会常务委员会第十二次会议通过
2009 年 12 月 26 日中华人民共和国主席令第二十三号公布）

第十一届全国人民代表大会常务委员会第十二次会议决定对《中华人民共和国可再生能源法》作如下修改：

一、将第八条第一款修改为："国务院能源主管部门会同国务院有关部门，根据全国可再生能源开发利用中长期总量目标和可再生能源技术发展状况，编制全国可再生能源开发利用规划，报国务院批准后实施。”

增加一款，作为第二款：“国务院有关部门应当制定有利于促进全国可再生能源开发利用中长期总量目标实现的相关规划。”

第二款改为第三款，修改为：“省、自治区、直辖市人民政府管理能源工作的部门会同本级人民政府有关部门，依据全国可再生能源开发利用规划和本行政区域可再生能源开发利用中长期目标，编制本行政区域可再生能源开发利用规划，经本级人民政府批准后，报国务院能源主管部门和国家电力监管机构备案，并组织实施。”

第三款、第四款分别改为第四款、第五款。

二、将第九条修改为：“编制可再生能源开发利用规划，应当遵循因地制宜、统筹兼顾、合理布局、有序发展的原则，对风能、太阳能、水能、生物质能、地热能、海洋能等可再生能源的开发利用作出统筹安排。规划内容应当包括发展目标、主要任务、区域布局、重点项目、实施进度、配套电网建设、服务体系和保障措施等。

“组织编制机关应当征求有关单位、专家和公众的意见，进行科学论证。”

三、将第十四条修改为：“国家实行可再生能源发电全额保障性收购制度。

“国务院能源主管部门会同国家电力监管机构和国务院财政部门，按照全国可再生能源开发利用规划，确定在规划期内应当达到的可再生能源发电量占全部发电量的比重，制定电网企业优先调度和全额收购可再生能源发电的具体办法，并由国务院能源主管部门会同国家电力监管机构在年度中督促落实。

“电网企业应当与按照可再生能源开发利用规划建设，依法取得行政许可或者报送备案的可再生能源发电企业签订并网协议，全额收购其电网覆盖范围内符合并网技术标准的可再生能源并网发电项目的上网电量。发电企业有义务配合电网企业保障电网安全。

“电网企业应当加强电网建设，扩大可再生能源电力配置范围，发展和应用智能电网、储能等技术，完善电网运行管理，提高吸纳可再生能源电力的能力，为可再生能源发电提供上网服务。”

四、将第五章章名修改为“价格管理与费用补偿”。

五、将第二十条修改为：“电网企业依照本法第十九条规定确定的上网电价收购可再生能源电量所发生的费用，高于按照常规能源发电平均上网电价计算所发生费用之间的差额，由在全国范围对销售电量征收可再生能源电价附加补偿。”

六、将第二十二条修改为：“国家投资或者补贴建设的公共可再生能源独立电力系统的销售电价，执行同一地区分类销售电价，其合理的运行和管理费用超出销售电价的部分，依照本法第二十条的规定补偿。”

七、将第二十四条修改为：“国家财政设立可再生能源发展基金，资金来源包括国家财政年度安排的专项资金和依法征收的可再生能源电价附加收入等。

“可再生能源发展基金用于补偿本法第二十条、第二十二条规定的差额费用，并用于支持以下事项：

(一)可再生能源开发利用的科学技术研究、标准制定和示范工程;

(二)农村、牧区的可再生能源利用项目;

(三)偏远地区和海岛可再生能源独立电力系统建设;

(四)可再生能源的资源勘查、评价和相关信息系统建设;

(五)促进可再生能源开发利用设备的本地化生产。

"本法第二十一条规定的接网费用以及其他相关费用,电网企业不能通过销售电价回收的,可以申请可再生能源发展基金补助。

"可再生能源发展基金征收使用管理的具体办法,由国务院财政部门会同国务院能源、价格主管部门制定。"

八、将第二十九条修改为:"违反本法第十四条规定,电网企业未按照规定完成收购可再生能源电量,造成可再生能源发电企业经济损失的,应当承担赔偿责任,并由国家电力监管机构责令限期改正;拒不改正的,处以可再生能源发电企业经济损失额一倍以下的罚款。"

本决定自2010年4月1日起施行。

《中华人民共和国可再生能源法》根据本决定作相应修改并对条款顺序作相应调整,重新公布。

中华人民共和国
可再生能源法

（2005 年 2 月 28 日第十届全国人民代表大会常务委员会第十四次会议通过　根据 2009 年 12 月 26 日第十一届全国人民代表大会常务委员会第十二次会议《关于修改〈中华人民共和国可再生能源法〉的决定》修正）

目　　录

第一章　总　　则

第一条　为了促进可再生能源的开发利用，增加能源供应，改善能源结构，保障能源安全，保护环境，实现经济社会的可持续发展，制定本法。

第二条　本法所称可再生能源，是指风能、太阳能、水能、生物质能、地热能、海洋能等非化石能源。

水力发电对本法的适用，由国务院能源主管部门规定，报国务院批准。

通过低效率炉灶直接燃烧方式利用秸秆、薪柴、粪便等，不适用本法。

第三条　本法适用于中华人民共和国领域和管辖的其他海域。

第四条　国家将可再生能源的开发利用列为能源发展的优先领域，通过制定可再生能源开发利用总量目标和采取相应措施，推动可再生能源市场的建立和发展。

国家鼓励各种所有制经济主体参与可再生能源的开发利用，依法保护可再生能源开发利用者的合法权益。

第五条　国务院能源主管部门对全国可再生能源的开发利用实施统一管理。国务院有关部门在各自的职责范围内负责有关的可再生能源开发利用管理工作。

县级以上地方人民政府管理能源工作的部门负责本行政区域内可再生能源开发利用的管理工作。县级以上地方人民政府有关部门在各自的职责范围内负责有关的可再生能源开发利用管理工作。

第二章　资源调查与发展规划

第六条　国务院能源主管部门负责组织和协调全国可再生能源资源的调查，并会同国务院有关部门组织制定资源调查的技术规范。

国务院有关部门在各自的职责范围内负责相关可再生能源资源的调查，调查结果报国务院能源主管部门汇总。

可再生能源资源的调查结果应当公布；但是，国家规定需要保密的内容除外。

第七条　国务院能源主管部门根据全国能源需求与可再生能源资源实际状况，制定全国可再生能源开发利用中长期总量目标，报国务院批准后执行，并予公布。

国务院能源主管部门根据前款规定的总量目标和省、自治区、直辖市经济发展与可再生能源资源实际状况，会同省、自治区、直辖市人民政府确定各行政区域可再生能源开发利用中长期目标，并予公布。

第八条　国务院能源主管部门会同国务院有关部门，根据全国可再生能源开发利用中长期总量目标和可再生能源技术发展状况，编制全国可再生能源开发利用规划，报国务院批准后实施。

国务院有关部门应当制定有利于促进全国可再生能源开发利用中长期总量目标实现的相关规划。

省、自治区、直辖市人民政府管理能源工作的部门会同本级人民政府有关部门，依据全国可再生能源开发利用规划和本行政区域可再生能源开发利用中长期目标，编制本行政区域可再生能源开发利用规划，经本级人民政府批准后，报国务院能源主管部门和国家电力监管机构备案，并组织实施。

经批准的规划应当公布；但是，国家规定需要保密的内容除外。

经批准的规划需要修改的，须经原批准机关批准。

第九条　编制可再生能源开发利用规划，应当遵循因地制宜、统筹兼顾、合理布局、有序发展的原则，对风能、太阳能、水能、生物质能、地热能、海洋能等可再生能源的开发利用作出统筹安排。规划内容应当包括发展目标、主要任务、区域布局、重点项目、实施进度、配套电网建设、服务体系和保障措施等。

组织编制机关应当征求有关单位、专家和公众的意见，进行科学论证。

第三章　产业指导与技术支持

第十条　国务院能源主管部门根据全国可再生能源开发利用规划，制定、公布可再生能源产业发展指导目录。

第十一条　国务院标准化行政主管部门应当制定、公布国家可再生能源电力的并网技术标准和其他需要在全国范围内统一技术要求的有关可再生能源技术和产品的国家标准。

对前款规定的国家标准中未作规定的技术要求，国务院有关部门可以制定相关的行业标准，并报国务院标准化行政主管部门备案。

第十二条　国家将可再生能源开发利用的科学技术研究和产业化发展列为科技发展与高技术产业发展的优先领域，纳入国家科技发展规划和高技术产业发展规划，并安排资金支持可再生能源开发利用的科学技术研究、应用示范和产业化发展，促进可再生能源开发利用的技术进步，降低可再生能源产品的生产成本，提高产品质量。

国务院教育行政部门应当将可再生能源知识和技术纳入普通教育、职业教育课程。

第四章　推广与应用

第十三条　国家鼓励和支持可再生能源并网发电。

建设可再生能源并网发电项目，应当依照法律和国务院的规定取得行政许可或者报送备案。

建设应当取得行政许可的可再生能源并网发电项目，有多人申请同一项目许可的，应当依法通过招标确定被许可人。

第十四条　国家实行可再生能源发电全额保障性收购制度。

国务院能源主管部门会同国家电力监管机构和国务院财政部门，按照全国可再生能源开发利用规划，确定在规划期内应当达到的可再生能源发电量占全部发电量的比重，制定电网企业优先调度和全额收购可再生能源发电的具体办法，并由国务院能源主管部门会同国家电力监管机构在年度中督促落实。

电网企业应当与按照可再生能源开发利用规划建设，依法取得行政许可或者报送备案的可再生能源发电企业签订并网协议，全额收购其电网覆盖范围内符合并网技术标准的可再生能源并网发电项目的上网电量。发电企业有义务配合电网企业保障电网安全。

电网企业应当加强电网建设，扩大可再生能源电力配置范围，发展和应用智能电网、储能等技术，完善电网运行管理，提高吸纳可再生能源电力的能力，为可再生能源发电提供上网服务。

第十五条　国家扶持在电网未覆盖的地区建设可再生能源独立电力系统，为当地生产和生活提供电力服务。

第十六条　国家鼓励清洁、高效地开发利用生物质燃料，鼓励发展能源作物。

利用生物质资源生产的燃气和热力，符合城市燃气管网、热力管网的入网技术标准的，经营燃气管网、热力管网的企业应当接收其入网。

国家鼓励生产和利用生物液体燃料。石油销售企业应当按照国务院能源主管部门或者省级人民政府的规定，将符合国家标准的生物液体燃料纳入其燃料销售体系。

第十七条　国家鼓励单位和个人安装和使用太阳能热水系统、太阳能供热采暖和制冷系统、太阳能光伏发电系统等太阳能利用系统。

国务院建设行政主管部门会同国务院有关部门制定太阳能利用系统与建筑结合的技术经济政策和技术规范。

房地产开发企业应当根据前款规定的技术规范，在建筑物的设计和施工中，为太阳能利用提供必备条件。

对已建成的建筑物，住户可以在不影响其质量与安全的前提下安装符合技术规范和产品标准的太阳能利用系统；但是，当事人另有约定的除外。

第十八条　国家鼓励和支持农村地区的可再生能源开发利用。

县级以上地方人民政府管理能源工作的部门会同有关部

门,根据当地经济社会发展、生态保护和卫生综合治理需要等实际情况,制定农村地区可再生能源发展规划,因地制宜地推广应用沼气等生物质资源转化、户用太阳能、小型风能、小型水能等技术。

县级以上人民政府应当对农村地区的可再生能源利用项目提供财政支持。

第五章　价格管理与费用补偿

第十九条　可再生能源发电项目的上网电价,由国务院价格主管部门根据不同类型可再生能源发电的特点和不同地区的情况,按照有利于促进可再生能源开发利用和经济合理的原则确定,并根据可再生能源开发利用技术的发展适时调整。上网电价应当公布。

依照本法第十三条第三款规定实行招标的可再生能源发电项目的上网电价,按照中标确定的价格执行;但是,不得高于依照前款规定确定的同类可再生能源发电项目的上网电价水平。

第二十条　电网企业依照本法第十九条规定确定的上网电价收购可再生能源电量所发生的费用,高于按照常规能源发电平均上网电价计算所发生费用之间的差额,由在全国范围对销售电量征收可再生能源电价附加补偿。

第二十一条　电网企业为收购可再生能源电量而支付的合理的接网费用以及其他合理的相关费用,可以计入电网企业输电成本,并从销售电价中回收。

第二十二条　国家投资或者补贴建设的公共可再生能源独立电力系统的销售电价,执行同一地区分类销售电价,其合理的运行和管理费用超出销售电价的部分，依照本法第二十条的规定补偿。

第二十三条　进入城市管网的可再生能源热力和燃气的价格，按照有利于促进可再生能源开发利用和经济合理的原则，根据价格管理权限确定。

第六章　经济激励与监督措施

第二十四条　国家财政设立可再生能源发展基金，资金来源包括国家财政年度安排的专项资金和依法征收的可再生能源电价附加收入等。

可再生能源发展基金用于补偿本法第二十条、第二十二条规定的差额费用，并用于支持以下事项：

（一）可再生能源开发利用的科学技术研究、标准制定和示范工程；

（二）农村、牧区的可再生能源利用项目；

（三）偏远地区和海岛可再生能源独立电力系统建设；

（四）可再生能源的资源勘查、评价和相关信息系统建设；

（五）促进可再生能源开发利用设备的本地化生产。

本法第二十一条规定的接网费用以及其他相关费用，电网企业不能通过销售电价回收的，可以申请可再生能源发展基金补助。

可再生能源发展基金征收使用管理的具体办法，由国务院财政部门会同国务院能源、价格主管部门制定。

第二十五条　对列入国家可再生能源产业发展指导目录、符合信贷条件的可再生能源开发利用项目，金融机构可以提供有财政贴息的优惠贷款。

第二十六条 国家对列入可再生能源产业发展指导目录的项目给予税收优惠。具体办法由国务院规定。

第二十七条 电力企业应当真实、完整地记载和保存可再生能源发电的有关资料,并接受电力监管机构的检查和监督。

电力监管机构进行检查时,应当依照规定的程序进行,并为被检查单位保守商业秘密和其他秘密。

第七章 法律责任

第二十八条 国务院能源主管部门和县级以上地方人民政府管理能源工作的部门和其他有关部门在可再生能源开发利用监督管理工作中,违反本法规定,有下列行为之一的,由本级人民政府或者上级人民政府有关部门责令改正,对负有责任的主管人员和其他直接责任人员依法给予行政处分;构成犯罪的,依法追究刑事责任:

(一)不依法作出行政许可决定的;

(二)发现违法行为不予查处的;

(三)有不依法履行监督管理职责的其他行为的。

第二十九条 违反本法第十四条规定,电网企业未按照规定完成收购可再生能源电量,造成可再生能源发电企业经济损失的,应当承担赔偿责任,并由国家电力监管机构责令限期改正;拒不改正的,处以可再生能源发电企业经济损失额一倍以下的罚款。

第三十条 违反本法第十六条第二款规定,经营燃气管网、热力管网的企业不准许符合入网技术标准的燃气、热力入网,造成燃气、热力生产企业经济损失的,应当承担赔偿责任,并由省级人民政府管理能源工作的部门责令限期改正;拒不改正的,处以燃气、热力生产企业经济损失额一倍以下的罚款。

第三十一条　违反本法第十六条第三款规定,石油销售企业未按照规定将符合国家标准的生物液体燃料纳入其燃料销售体系,造成生物液体燃料生产企业经济损失的,应当承担赔偿责任,并由国务院能源主管部门或者省级人民政府管理能源工作的部门责令限期改正;拒不改正的,处以生物液体燃料生产企业经济损失额一倍以下的罚款。

第八章　附　　则

第三十二条　本法中下列用语的含义:

(一)生物质能,是指利用自然界的植物、粪便以及城乡有机废物转化成的能源。

(二)可再生能源独立电力系统,是指不与电网连接的单独运行的可再生能源电力系统。

(三)能源作物,是指经专门种植,用以提供能源原料的草本和木本植物。

(四)生物液体燃料,是指利用生物质资源生产的甲醇、乙醇和生物柴油等液体燃料。

第三十三条　本法自 2006 年 1 月 1 日起施行。

中华人民共和国电力法

（1995 年 12 月 28 日第八届全国人民代表大会常务委员会第十七次会议通过　1995 年 12 月 28 日中华人民共和国主席令第六十号公布　根据 2009 年 8 月 27 日第十一届全国人民代表大会常务委员会第十次会议《关于修改部分法律的决定》修正）

目　　录

第十章 附 则

第一章 总 则

第一条 为了保障和促进电力事业的发展,维护电力投资者、经营者和使用者的合法权益,保障电力安全运行,制定本法。

第二条 本法适用于中华人民共和国境内的电力建设、生产、供应和使用活动。

第三条 电力事业应当适应国民经济和社会发展的需要,适当超前发展。国家鼓励、引导国内外的经济组织和个人依法投资开发电源,兴办电力生产企业。

电力事业投资,实行谁投资、谁收益的原则。

第四条 电力设施受国家保护。

禁止任何单位和个人危害电力设施安全或者非法侵占、使用电能。

第五条 电力建设、生产、供应和使用应当依法保护环境,采用新技术,减少有害物质排放,防治污染和其他公害。

国家鼓励和支持利用可再生能源和清洁能源发电。

第六条 国务院电力管理部门负责全国电力事业的监督管理。国务院有关部门在各自的职责范围内负责电力事业的监督管理。

县级以上地方人民政府经济综合主管部门是本行政区域内的电力管理部门,负责电力事业的监督管理。县级以上地方人民政府有关部门在各自的职责范围内负责电力事业的监督管理。

第七条 电力建设企业、电力生产企业、电网经营企业依法实行自主经营、自负盈亏,并接受电力管理部门的监督。

第八条 国家帮助和扶持少数民族地区、边远地区和贫困地区发展电力事业。

第九条 国家鼓励在电力建设、生产、供应和使用过程中,采用先进的科学技术和管理方法,对在研究、开发、采用先进的科学技术和管理方法等方面作出显著成绩的单位和个人给予奖励。

第二章 电力建设

第十条 电力发展规划应当根据国民经济和社会发展的需要制定,并纳入国民经济和社会发展计划。

电力发展规划,应当体现合理利用能源、电源与电网配套发展、提高经济效益和有利于环境保护的原则。

第十一条 城市电网的建设与改造规划,应当纳入城市总体规划。城市人民政府应当按照规划,安排变电设施用地、输电线路走廊和电缆通道。

任何单位和个人不得非法占用变电设施用地、输电线路走廊和电缆通道。

第十二条 国家通过制定有关政策,支持、促进电力建设。

地方人民政府应当根据电力发展规划,因地制宜,采取多种措施开发电源,发展电力建设。

第十三条 电力投资者对其投资形成的电力,享有法定权益。并网运行的,电力投资者有优先使用权;未并网的自备电厂,电力投资者自行支配使用。

第十四条 电力建设项目应当符合电力发展规划,符合国家电力产业政策。

电力建设项目不得使用国家明令淘汰的电力设备和技术。

第十五条　输变电工程、调度通信自动化工程等电网配套工程和环境保护工程，应当与发电工程项目同时设计、同时建设、同时验收、同时投入使用。

第十六条　电力建设项目使用土地，应当依照有关法律、行政法规的规定办理；依法征收土地的，应当依法支付土地补偿费和安置补偿费，做好迁移居民的安置工作。

电力建设应当贯彻切实保护耕地、节约利用土地的原则。

地方人民政府对电力事业依法使用土地和迁移居民，应当予以支持和协助。

第十七条　地方人民政府应当支持电力企业为发电工程建设勘探水源和依法取水、用水。电力企业应当节约用水。

第三章　电力生产与电网管理

第十八条　电力生产与电网运行应当遵循安全、优质、经济的原则。

电网运行应当连续、稳定，保证供电可靠性。

第十九条　电力企业应当加强安全生产管理，坚持安全第一、预防为主的方针，建立、健全安全生产责任制度。

电力企业应当对电力设施定期进行检修和维护，保证其正常运行。

第二十条　发电燃料供应企业、运输企业和电力生产企业应当依照国务院有关规定或者合同约定供应、运输和接卸燃料。

第二十一条　电网运行实行统一调度、分级管理。任何单位和个人不得非法干预电网调度。

第二十二条 国家提倡电力生产企业与电网、电网与电网并网运行。具有独立法人资格的电力生产企业要求将生产的电力并网运行的,电网经营企业应当接受。

并网运行必须符合国家标准或者电力行业标准。

并网双方应当按照统一调度、分级管理和平等互利、协商一致的原则,签订并网协议,确定双方的权利和义务;并网双方达不成协议的,由省级以上电力管理部门协调决定。

第二十三条 电网调度管理办法,由国务院依照本法的规定制定。

第四章 电力供应与使用

第二十四条 国家对电力供应和使用,实行安全用电、节约用电、计划用电的管理原则。

电力供应与使用办法由国务院依照本法的规定制定。

第二十五条 供电企业在批准的供电营业区内向用户供电。

供电营业区的划分,应当考虑电网的结构和供电合理性等因素。一个供电营业区内只设立一个供电营业机构。

省、自治区、直辖市范围内的供电营业区的设立、变更,由供电企业提出申请,经省、自治区、直辖市人民政府电力管理部门会同同级有关部门审查批准后,由省、自治区、直辖市人民政府电力管理部门发给《供电营业许可证》。跨省、自治区、直辖市的供电营业区的设立、变更,由国务院电力管理部门审查批准并发给《供电营业许可证》。供电营业机构持《供电营业许可证》向工商行政管理部门申请领取营业执照，方可营业。

第二十六条　供电营业区内的供电营业机构，对本营业区内的用户有按照国家规定供电的义务；不得违反国家规定对其营业区内申请用电的单位和个人拒绝供电。

申请新装用电、临时用电、增加用电容量、变更用电和终止用电，应当依照规定的程序办理手续。

供电企业应当在其营业场所公告用电的程序、制度和收费标准，并提供用户须知资料。

第二十七条　电力供应与使用双方应当根据平等自愿、协商一致的原则，按照国务院制定的电力供应与使用办法签订供用电合同，确定双方的权利和义务。

第二十八条　供电企业应当保证供给用户的供电质量符合国家标准。对公用供电设施引起的供电质量问题，应当及时处理。

用户对供电质量有特殊要求的，供电企业应当根据其必要性和电网的可能，提供相应的电力。

第二十九条　供电企业在发电、供电系统正常的情况下，应当连续向用户供电，不得中断。因供电设施检修、依法限电或者用户违法用电等原因，需要中断供电时，供电企业应当按照国家有关规定事先通知用户。

用户对供电企业中断供电有异议的，可以向电力管理部门投诉；受理投诉的电力管理部门应当依法处理。

第三十条　因抢险救灾需要紧急供电时，供电企业必须尽速安排供电，所需供电工程费用和应付电费依照国家有关规定执行。

第三十一条 用户应当安装用电计量装置。用户使用的电力电量，以计量检定机构依法认可的用电计量装置的记录为准。

用户受电装置的设计、施工安装和运行管理，应当符合国家标准或者电力行业标准。

第三十二条 用户用电不得危害供电、用电安全和扰乱供电、用电秩序。

对危害供电、用电安全和扰乱供电、用电秩序的，供电企业有权制止。

第三十三条 供电企业应当按照国家核准的电价和用电计量装置的记录，向用户计收电费。

供电企业查电人员和抄表收费人员进入用户，进行用电安全检查或者抄表收费时，应当出示有关证件。

用户应当按照国家核准的电价和用电计量装置的记录，按时交纳电费；对供电企业查电人员和抄表收费人员依法履行职责，应当提供方便。

第三十四条 供电企业和用户应当遵守国家有关规定，采取有效措施，做好安全用电、节约用电和计划用电工作。

第五章 电价与电费

第三十五条 本法所称电价，是指电力生产企业的上网电价、电网间的互供电价、电网销售电价。

电价实行统一政策，统一定价原则，分级管理。

第三十六条 制定电价，应当合理补偿成本，合理确定收益，依法计入税金，坚持公平负担，促进电力建设。

第三十七条 上网电价实行同网同质同价。具体办法和实施步骤由国务院规定。

电力生产企业有特殊情况需另行制定上网电价的，具体办法由国务院规定。

第三十八条　跨省、自治区、直辖市电网和省级电网内的上网电价，由电力生产企业和电网经营企业协商提出方案，报国务院物价行政主管部门核准。

独立电网内的上网电价，由电力生产企业和电网经营企业协商提出方案，报有管理权的物价行政主管部门核准。

地方投资的电力生产企业所生产的电力，属于在省内各地区形成独立电网的或者自发自用的，其电价可以由省、自治区、直辖市人民政府管理。

第三十九条　跨省、自治区、直辖市电网和独立电网之间、省级电网和独立电网之间的互供电价，由双方协商提出方案，报国务院物价行政主管部门或者其授权的部门核准。

独立电网与独立电网之间的互供电价，由双方协商提出方案，报有管理权的物价行政主管部门核准。

第四十条　跨省、自治区、直辖市电网和省级电网的销售电价，由电网经营企业提出方案，报国务院物价行政主管部门或者其授权的部门核准。

独立电网的销售电价，由电网经营企业提出方案，报有管理权的物价行政主管部门核准。

第四十一条　国家实行分类电价和分时电价。分类标准和分时办法由国务院确定。

对同一电网内的同一电压等级、同一用电类别的用户，执行相同的电价标准。

第四十二条 用户用电增容收费标准，由国务院物价行政主管部门会同国务院电力管理部门制定。

第四十三条 任何单位不得超越电价管理权限制定电价。供电企业不得擅自变更电价。

第四十四条 禁止任何单位和个人在电费中加收其他费用；但是，法律、行政法规另有规定的，按照规定执行。

地方集资办电在电费中加收费用的，由省、自治区、直辖市人民政府依照国务院有关规定制定办法。

禁止供电企业在收取电费时，代收其他费用。

第四十五条 电价的管理办法，由国务院依照本法的规定制定。

第六章 农村电力建设和农业用电

第四十六条 省、自治区、直辖市人民政府应当制定农村电气化发展规划，并将其纳入当地电力发展规划及国民经济和社会发展计划。

第四十七条 国家对农村电气化实行优惠政策，对少数民族地区、边远地区和贫困地区的农村电力建设给予重点扶持。

第四十八条 国家提倡农村开发水能资源，建设中、小型水电站，促进农村电气化。

国家鼓励和支持农村利用太阳能、风能、地热能、生物质能和其他能源进行农村电源建设，增加农村电力供应。

第四十九条 县级以上地方人民政府及其经济综合主管部门在安排用电指标时，应当保证农业和农村用电的适当比例，优先保证农村排涝、抗旱和农业季节性生产用电。

电力企业应当执行前款的用电安排，不得减少农业和农村用电指标。

第五十条　农业用电价格按照保本、微利的原则确定。

农民生活用电与当地城镇居民生活用电应当逐步实行相同的电价。

第五十一条　农业和农村用电管理办法，由国务院依照本法的规定制定。

第七章　电力设施保护

第五十二条　任何单位和个人不得危害发电设施、变电设施和电力线路设施及其有关辅助设施。

在电力设施周围进行爆破及其他可能危及电力设施安全的作业的，应当按照国务院有关电力设施保护的规定，经批准并采取确保电力设施安全的措施后，方可进行作业。

第五十三条　电力管理部门应当按照国务院有关电力设施保护的规定，对电力设施保护区设立标志。

任何单位和个人不得在依法划定的电力设施保护区内修建可能危及电力设施安全的建筑物、构筑物，不得种植可能危及电力设施安全的植物，不得堆放可能危及电力设施安全的物品。

在依法划定电力设施保护区前已经种植的植物妨碍电力设施安全的，应当修剪或者砍伐。

第五十四条　任何单位和个人需要在依法划定的电力设施保护区内进行可能危及电力设施安全的作业时，应当经电力管理部门批准并采取安全措施后，方可进行作业。

第五十五条　电力设施与公用工程、绿化工程和其他工程在新建、改建或者扩建中相互妨碍时，有关单位应当按照国家有关规定协商，达成协议后方可施工。

第八章　监督检查

第五十六条　电力管理部门依法对电力企业和用户执行电力法律、行政法规的情况进行监督检查。

第五十七条　电力管理部门根据工作需要，可以配备电力监督检查人员。

电力监督检查人员应当公正廉洁，秉公执法，熟悉电力法律、法规，掌握有关电力专业技术。

第五十八条　电力监督检查人员进行监督检查时，有权向电力企业或者用户了解有关执行电力法律、行政法规的情况，查阅有关资料，并有权进入现场进行检查。

电力企业和用户对执行监督检查任务的电力监督检查人员应当提供方便。

电力监督检查人员进行监督检查时，应当出示证件。

第九章　法律责任

第五十九条　电力企业或者用户违反供用电合同，给对方造成损失的，应当依法承担赔偿责任。

电力企业违反本法第二十八条、第二十九条第一款的规定，未保证供电质量或者未事先通知用户中断供电，给用户造成损失的，应当依法承担赔偿责任。

第六十条　因电力运行事故给用户或者第三人造成损害的，电力企业应当依法承担赔偿责任。

电力运行事故由下列原因之一造成的，电力企业不承担赔偿责任：

（一）不可抗力；

（二）用户自身的过错。

因用户或者第三人的过错给电力企业或者其他用户造成损害的，该用户或者第三人应当依法承担赔偿责任。

第六十一条 违反本法第十一条第二款的规定，非法占用变电设施用地、输电线路走廊或者电缆通道的，由县级以上地方人民政府责令限期改正；逾期不改正的，强制清除障碍。

第六十二条 违反本法第十四条规定，电力建设项目不符合电力发展规划、产业政策的，由电力管理部门责令停止建设。

违反本法第十四条规定，电力建设项目使用国家明令淘汰的电力设备和技术的，由电力管理部门责令停止使用，没收国家明令淘汰的电力设备，并处五万元以下的罚款。

第六十三条 违反本法第二十五条规定，未经许可，从事供电或者变更供电营业区的，由电力管理部门责令改正，没收违法所得，可以并处违法所得五倍以下的罚款。

第六十四条 违反本法第二十六条、第二十九条规定，拒绝供电或者中断供电的，由电力管理部门责令改正，给予警告；情节严重的，对有关主管人员和直接责任人员给予行政处分。

第六十五条 违反本法第三十二条规定，危害供电、用电安全或者扰乱供电、用电秩序的，由电力管理部门责令改正，给予警告；情节严重或者拒绝改正的，可以中止供电，可以并处五万元以下的罚款。

第六十六条 违反本法第三十三条、第四十三条、第四十四条规定，未按照国家核准的电价和用电计量装置的记录向用户计收电费、超越权限制定电价或者在电费中加收其他费用的，由物价行政主管部门给予警告，责令返还违法收取的费用，可以并处违法收取费用五倍以下的罚款；情节严重的，对有关主管人员和直接责任人员给予行政处分。

第六十七条 违反本法第四十九条第二款规定，减少农业和农村用电指标的，由电力管理部门责令改正；情节严重的，对有关主管人员和直接责任人员给予行政处分；造成损失的，责令赔偿损失。

第六十八条 违反本法第五十二条第二款和第五十四条规定，未经批准或者未采取安全措施在电力设施周围或者在依法划定的电力设施保护区内进行作业，危及电力设施安全的，由电力管理部门责令停止作业、恢复原状并赔偿损失。

第六十九条 违反本法第五十三条规定，在依法划定的电力设施保护区内修建建筑物、构筑物或者种植植物、堆放物品，危及电力设施安全的，由当地人民政府责令强制拆除、砍伐或者清除。

第七十条 有下列行为之一，应当给予治安管理处罚的，由公安机关依照治安管理处罚法的有关规定予以处罚；构成犯罪的，依法追究刑事责任：

（一）阻碍电力建设或者电力设施抢修，致使电力建设或者电力设施抢修不能正常进行的；

（二）扰乱电力生产企业、变电所、电力调度机构和供电企业的秩序，致使生产、工作和营业不能正常进行的；

（三）殴打、公然侮辱履行职务的查电人员或者抄表收费人员的；

（四）拒绝、阻碍电力监督检查人员依法执行职务的。

第七十一条 盗窃电能的，由电力管理部门责令停止违法行为，追缴电费并处应交电费五倍以下的罚款；构成犯罪的，依照刑法有关规定追究刑事责任。

第七十二条 盗窃电力设施或者以其他方法破坏电力设施，危害公共安全的，依照刑法有关规定追究刑事责任。

第七十三条 电力管理部门的工作人员滥用职权、玩忽职守、徇私舞弊，构成犯罪的，依法追究刑事责任；尚不构成犯罪的，依法给予行政处分。

第七十四条 电力企业职工违反规章制度、违章调度或者不服从调度指令，造成重大事故的，依照刑法有关规定追究刑事责任。

电力企业职工故意延误电力设施抢修或者抢险救灾供电，造成严重后果的，依照刑法有关规定追究刑事责任。

电力企业的管理人员和查电人员、抄表收费人员勒索用户、以电谋私，构成犯罪的，依法追究刑事责任；尚不构成犯罪的，依法给予行政处分。

第十章 附 则

第七十五条 本法自1996年4月1日起施行。

电力监管条例

（2005 年 2 月 15 日国务院第 432 号令公布
自 2005 年 5 月 1 日起施行）

目　　录

第一章　总　　则

第一条　为了加强电力监管，规范电力监管行为，完善电力监管制度，制定本条例。

第二条　电力监管的任务是维护电力市场秩序，依法保护电力投资者、经营者、使用者的合法权益和社会公共利益，保障电力系统安全稳定运行,促进电力事业健康发展。

第三条　电力监管应当依法进行,并遵循公开、公正和效率的原则。

第四条　国务院电力监管机构依照本条例和国务院有关规定,履行电力监管和行政执法职能;国务院有关部门依照有关法律、行政法规和国务院有关规定,履行相关的监管职能和行政执法职能。

第五条　任何单位和个人对违反本条例和国家有关电力监管规定的行为有权向电力监管机构和政府有关部门举报,电力监管机构和政府有关部门应当及时处理,并依照有关规定对举报有功人员给予奖励。

第二章　监管机构

第六条　国务院电力监管机构根据履行职责的需要,经国务院批准,设立派出机构。国务院电力监管机构对派出机构实行统一领导和管理。

国务院电力监管机构的派出机构在国务院电力监管机构的授权范围内,履行电力监管职责。

第七条　电力监管机构从事监管工作的人员,应当具备与电力监管工作相适应的专业知识和业务工作经验。

第八条　电力监管机构从事监管工作的人员,应当忠于职守,依法办事,公正廉洁,不得利用职务便利谋取不正当利益,不得在电力企业、电力调度交易机构兼任职务。

第九条　电力监管机构应当建立监管责任制度和监管信息公开制度。

第十条 电力监管机构及其从事监管工作的人员依法履行电力监管职责,有关单位和人员应当予以配合和协助。

第十一条 电力监管机构应当接受国务院财政、监察、审计等部门依法实施的监督。

第三章 监管职责

第十二条 国务院电力监管机构依照有关法律、行政法规和本条例的规定,在其职责范围内制定并发布电力监管规章、规则。

第十三条 电力监管机构依照有关法律和国务院有关规定,颁发和管理电力业务许可证。

第十四条 电力监管机构按照国家有关规定,对发电企业在各电力市场中所占份额的比例实施监管。

第十五条 电力监管机构对发电厂并网、电网互联以及发电厂与电网协调运行中执行有关规章、规则的情况实施监管。

第十六条 电力监管机构对电力市场向从事电力交易的主体公平、无歧视开放的情况以及输电企业公平开放电网的情况依法实施监管。

第十七条 电力监管机构对电力企业、电力调度交易机构执行电力市场运行规则的情况,以及电力调度交易机构执行电力调度规则的情况实施监管。

第十八条 电力监管机构对供电企业按照国家规定的电能质量和供电服务质量标准向用户提供供电服务的情况实施监管。

第十九条 电力监管机构具体负责电力安全监督管理工作。

国务院电力监管机构经商国务院发展改革部门、国务院安全生产监督管理部门等有关部门后，制定重大电力生产安全事故处置预案，建立重大电力生产安全事故应急处置制度。

第二十条　国务院价格主管部门、国务院电力监管机构依照法律、行政法规和国务院的规定，对电价实施监管。

第四章　监管措施

第二十一条　电力监管机构根据履行监管职责的需要，有权要求电力企业、电力调度交易机构报送与监管事项相关的文件、资料。

电力企业、电力调度交易机构应当如实提供有关文件、资料。

第二十二条　国务院电力监管机构应当建立电力监管信息系统。

电力企业、电力调度交易机构应当按照国务院电力监管机构的规定将与监管相关的信息系统接入电力监管信息系统。

第二十三条　电力监管机构有权责令电力企业、电力调度交易机构按照国家有关电力监管规章、规则的规定如实披露有关信息。

第二十四条　电力监管机构依法履行职责，可以采取下列措施，进行现场检查：

（一）进入电力企业、电力调度交易机构进行检查；

（二）询问电力企业、电力调度交易机构的工作人员，要求其对有关检查事项作出说明；

（三）查阅、复制与检查事项有关的文件、资料，对可能被转移、隐匿、损毁的文件、资料予以封存；

（四）对检查中发现的违法行为，有权当场予以纠正或者要求限期改正。

第二十五条 依法从事电力监管工作的人员在进行现场检查时，应当出示有效执法证件；未出示有效执法证件的，电力企业、电力调度交易机构有权拒绝检查。

第二十六条 发电厂与电网并网、电网与电网互联，并网双方或者互联双方达不成协议，影响电力交易正常进行的，电力监管机构应当进行协调；经协调仍不能达成协议的，由电力监管机构作出裁决。

第二十七条 电力企业发生电力生产安全事故，应当及时采取措施，防止事故扩大，并向电力监管机构和其他有关部门报告。电力监管机构接到发生重大电力生产安全事故报告后，应当按照重大电力生产安全事故处置预案，及时采取处置措施。

电力监管机构按照国家有关规定组织或者参加电力生产安全事故的调查处理。

第二十八条 电力监管机构对电力企业、电力调度交易机构违反有关电力监管的法律、行政法规或者有关电力监管规章、规则，损害社会公共利益的行为及其处理情况，可以向社会公布。

第五章 法律责任

第二十九条 电力监管机构从事监管工作的人员有下列情形之一的，依法给予行政处分；构成犯罪的，依法追究刑事责任：

（一）违反有关法律和国务院有关规定颁发电力业务许可证的；

（二）发现未经许可擅自经营电力业务的行为，不依法进行处理的；

（三）发现违法行为或者接到对违法行为的举报后，不及时进行处理的；

（四）利用职务便利谋取不正当利益的。

电力监管机构从事监管工作的人员在电力企业、电力调度交易机构兼任职务的，由电力监管机构责令改正，没收兼职所得；拒不改正的，予以辞退或者开除。

第三十条 违反规定未取得电力业务许可证擅自经营电力业务的，由电力监管机构责令改正，没收违法所得，可以并处违法所得 5 倍以下的罚款；构成犯罪的，依法追究刑事责任。

第三十一条 电力企业违反本条例规定，有下列情形之一的，由电力监管机构责令改正；拒不改正的，处 10 万元以上 100 万元以下的罚款；对直接负责的主管人员和其他直接责任人员，依法给予处分；情节严重的，可以吊销电力业务许可证：

（一）不遵守电力市场运行规则的；

（二）发电厂并网、电网互联不遵守有关规章、规则的；

（三）不向从事电力交易的主体公平、无歧视开放电力市场或者不按照规定公平开放电网的。

第三十二条 供电企业未按照国家规定的电能质量和供电服务质量标准向用户提供供电服务的，由电力监管机构责令改正，给予警告；情节严重的，对直接负责的主管人员和其他直接责任人员，依法给予处分。

第三十三条 电力调度交易机构违反本条例规定，不按照电力市场运行规则组织交易的，由电力监管机构责令改正；拒不改正的，处 10 万元以上 100 万元以下的罚款；对直接负责的主管人员和其他直接责任人员，依法给予处分。

电力调度交易机构工作人员泄露电力交易内幕信息的，由电力监管机构责令改正，并依法给予处分。

第三十四条 电力企业、电力调度交易机构有下列情形之一的，由电力监管机构责令改正；拒不改正的，处 5 万元以上 50 万元以下的罚款，对直接负责的主管人员和其他直接责任人员，依法给予处分；构成犯罪的，依法追究刑事责任：

（一）拒绝或者阻碍电力监管机构及其从事监管工作的人员依法履行监管职责的；

（二）提供虚假或者隐瞒重要事实的文件、资料的；

（三）未按照国家有关电力监管规章、规则的规定披露有关信息的。

第三十五条 本条例规定的罚款和没收的违法所得，按照国家有关规定上缴国库。

第六章 附 则

第三十六条 电力企业应当按照国务院价格主管部门、财政部门的有关规定缴纳电力监管费。

第三十七条 本条例自 2005 年 5 月 1 日起施行。

附录二：

中华人民共和国可再生能源法（草案）

目 录

第一章 总 则

第一条 【立法目的】为了促进可再生能源的开发利用，增加能源供应，改善能源结构，保障能源安全，保护环境，实现经济和社会的可持续发展，制定本法。

第二条 【定义】本法所称可再生能源，是指下列从自然界获取的、可以再生的非化石能源：

（一）风能；

（二）太阳能；

（三）水能；

（四）生物质能；

（五）地热能；

（六）海洋能；

（七）法律、法规规定的其他可再生能源。

电站总装机容量超过5万千瓦的水力发电以及通过传统燃烧方式利用秸秆、薪柴、粪便等，不适用本法。

第三条 【适用范围】本法适用于中华人民共和国领域和管辖的其他海域。

第四条 【推动可再生能源开发利用的市场化】国家将可再生能源列为能源发展的优先领域，通过制定可再生能源开发利用总量目标和相应措施，推动可再生能源市场的建立和发展。

国家鼓励多种所有制经济主体参与可再生能源的开发利用，依法保护可再生能源开发利用者的合法权益。

第五条 【管理机构】国务院能源主管部门对全国可再生能源的开发利用实施统一管理。国务院有关部门在各自的职责范围内负责可再生能源开发利用管理工作。

县级以上地方人民政府能源主管部门对本行政区域内可再生能源的开发利用实施统一管理。县级以上地方人民政府有关部门在各自的职责范围内负责可再生能源开发利用管理工作。

第二章 资源调查与发展规划

第六条 【资源调查】国务院能源主管部门负责组织和协调全国可再生能源资源的调查和管理，并会同国务院农业、水利、国土资源、建设、环境保护、林业、海洋、气象等有关部门组织制定资源调查的技术规范。

国务院农业、水利、国土资源、建设、环境保护、林业、海洋、气象等有关部门在各自的职责范围内负责相关可再生能源资源的调查，调查结果报国务院能源主管部门汇总。

可再生能源资源的调查结果应当及时向社会公布，但是，国家规定需要保密的除外。

第七条 【总量目标】国务院能源主管部门根据全国能源需求与可再生能源资源实际状况，制定全国可再生能源开发利用中长期总量目标，报国务院批准后执行，并向社会公布。

国务院能源主管部门根据前款规定的总量目标和各省、自治区、直辖市经济发展与可再生能源资源实际状况，会同省、自治区、直辖市人民政府确定各行政区域可再生能源开发利用中长期目标，并向社会公布。

第八条 【开发利用规划】国务院能源主管部门根据全国可再生能源开发利用中长期总量目标，会同国务院科技、农业、水利、国土资源、建设、环境保护、林业、海洋、气象、电力监管等有关部门和机构，编制全国可再生能源开发利用规划，报国务院批准后实施。

省、自治区、直辖市人民政府能源主管部门根据本行政区域可再生能源开发利用中长期目标，会同本级人民政府科技、农业、水利、国土资源、建设、环境保护、林业、海洋、气象等有关部门编制本行政区域可再生能源开发利用规划，报同级人民政府批准后实施。

前两款所指的可再生能源开发利用规划应当纳入本级国民经济和社会发展计划以及能源发展规划。

经批准的规划需要修改的，须经原批准机关批准。

第九条 【规划公开】编制可再生能源开发利用规划，应当进行科学论证，并征求有关单位、专家和公众的意见。

经批准的规划应当适时向社会公布，但是，国家规定需要保密的除外。

第三章 产业指导与技术支持

第十条 【产业指导】国务院能源主管部门依照全国可再生能源开发利用规划，定期发布可再生能源产业发展指导目录。

第十一条 【标准与规范】国务院标准化行政主管部门应当制定有关可再生能源技术和产品的国家标准，并于本法施行之日起1年内，公布国家可再生能源电力的并网技术标准。

对前款规定的国家标准中未作规定的项目，国务院有关部门可以制定相关的行业标准，并报国务院标准化行政主管部门备案。

第十二条 【检测认证】国务院质量技术监督部门会同国务院能源主管部门等有关部门，依法建立可再生能源开发利用设备和产品的检测、检验和认证制度。

第十三条 【科技研发和教育培训】国家将可再生能源科学研究、技术开发和产业化列为科技发展与高技术产业发展的优先领域，纳入国家中长期科技发展规划和高技术产业发展规划，并安排资金支持可再生能源技术的研究、开发、应用示范、能力建设和产业化发展。

国务院教育行政主管部门应当将可再生能源知识和技术纳入普通教育、职业教育课程。

第四章　推广与应用

第十四条　【并网发电立项】国家鼓励和支持可再生能源并网发电。

可再生能源并网发电项目，由国务院或者省、自治区、直辖市人民政府能源投资主管部门按照其管理权限，予以核准或者备案。

政府特许的可再生能源并网发电项目，应当依法通过招标确定项目开发经营者。

第十五条　【并网电力收购】电网企业应当全额收购其电网覆盖范围内经核准或者备案的可再生能源并网发电项目的上网电量。

第十六条　【电网建设】电网企业应当为可再生能源发电提供上网服务和支持。

第十七条　【离网发电】国家支持在电网未覆盖的地区建设可再生能源独立电力系统，为当地生产和生活提供电力服务。

国家投资或者补贴建设的公共可再生能源独立电力系统，由项目审批时明确的项目法人负责管理。

第十八条　【可再生能源配额指标】国务院能源主管部门可以根据燃煤发电装机的权益容量，规定大型发电企业的可再生能源电量指标。可再生能源电量指标经确定后，大型发电企业必须执行。

第十九条 【自愿认购】国家鼓励单位和个人自愿认购可再生能源产品。

第二十条 【生物质燃料】国家鼓励清洁、高效地开发利用生物质燃料，鼓励发展能源作物。

【燃气和供热】国家鼓励利用生物质资源生产燃气和热力。对于符合入网技术标准的，市政燃气和供热企业应当准许其入网。

【液体燃料】国家鼓励生产和利用生物液体燃料。石油销售企业应当按照国务院能源主管部门或者省级人民政府的规定，将符合国家标准的生物液体燃料纳入其燃料销售体系。

第二十一条 【太阳能利用】国家鼓励单位和个人安装和使用太阳能热水系统、太阳能供热采暖和制冷系统、太阳能光伏发电系统等太阳能利用系统。

国务院建设行政主管部门应当会同国务院有关部门制定太阳能利用系统与建筑结合的技术经济政策和技术规范。

房地产开发企业应当根据前款规定的技术规范，在建筑物的设计和施工中，为太阳能利用提供必备条件。

对已建成的建筑物，住户可以在保证其质量与安全的前提下安装符合技术规范和产品标准的太阳能利用系统，但建筑物所有权人与有关住户另有约定的除外。

第二十二条 【农村地区可再生能源发展】国家鼓励和支持农村地区的可再生能源开发利用。

县级以上地方人民政府能源主管部门应当会同农业行政主

管部门等有关部门，根据当地经济社会发展、生态保护和卫生综合治理需要等实际情况，制定农村地区可再生能源发展规划，因地制宜地推广应用沼气等生物质资源转化、户用太阳能、小型风能、小型水能等技术。

县级以上人民政府应当对农村地区的可再生能源利用项目提供财政支持。

第五章　价格管理与费用分摊

第二十三条　【分类电价】国家对可再生能源发电实行分类上网电价制度。

分类上网电价由国务院价格主管部门根据不同类型可再生能源发电的特点，按照有利于可再生能源发展的原则测算确定，并定期向社会公告。

政府招标的可再生能源发电项目上网电价应当通过招标确定，但不得高于同类可再生能源发电项目的政府定价水平。

第二十四条　【费用分摊】电网企业按照政府规定电价或者招标电价收购可再生能源电量所发生的费用，与按照常规能源发电平均上网电价计算所发生费用之间的差额，在销售电价中分摊。具体办法自本法施行之日起1年内，由国务院价格主管部门制定。

第二十五条　【接网费用】电网企业为收购可再生能源电量而支付的接网费用以及其他相关费用，可以计入电网企业输电成本，并从销售电价中回收。

第二十六条　【独立电力系统费用分摊】国家投资或者补贴建设的公共可再生能源独立电力系统的销售电价，执行同一地区分类销售电价，其运行和管理费用超出销售电价的部分，按照本法第二十四条规定的办法分摊。

第二十七条 【热力和燃气定价】进入城市管网的可再生能源热力和燃气的价格，由当地城市人民政府价格主管部门按照有利于发展可再生能源热力和燃气的原则核定。

第六章 经济激励与监督措施

第二十八条 【财政支持】国家财政设立可再生能源发展专项资金，用于以下活动：

（一）可再生能源的科学研究、技术开发、标准制定和示范工程；

（二）农村、牧区生活用能的可再生能源项目；

（三）偏远地区和海岛可再生能源独立电力系统建设；

（四）可再生能源的资源勘查、评价和相关信息系统建设；

（五）促进可再生能源设备的本地化生产。

第二十九条 【信贷措施】对列入国家可再生能源产业发展指导目录、符合信贷条件的可再生能源开发利用项目，金融机构可以提供有财政贴息的优惠贷款。

第三十条 【税收措施】国家对列入可再生能源产业发展指导目录的项目给予税收优惠。

【设备增值税】国家对可再生能源开发利用设备的生产和销售减征或者免征增值税。

【产品增值税】国家对利用可再生能源生产的电力、热力、燃气和液体燃料等产品减征或者免征增值税。

税收优惠的具体办法由国务院规定。

第三十一条 【保证可再生能源发电信息的准确可靠】电力企业应当真实、完整地记载和保存可再生能源发电的账簿和档案,并接受电力监管机构的检查和监督。

电力监管机构进行检查时,应当依照规定的程序进行,并为被检查单位保守商业秘密和其他秘密。

第七章 法律责任

第三十二条 各级人民政府的能源主管部门和其他有关部门的监督管理人员在可再生能源开发利用和监督管理工作中,违反法律规定,有下列行为之一的,依法给予行政处分;构成犯罪的,依法追究刑事责任:

(一)不依法作出行政许可决定或者办理批准文件的;

(二)不依法履行监督管理职责的;

(三)利用职务上的便利索取或者收受他人财物、谋取其他利益,或者滥用职权、玩忽职守、徇私舞弊的;

(四)其他违反法律、行政法规的行为。

第三十三条 违反本法第十五条规定,电网企业未全额收购经核准或者备案的可再生能源电量,造成可再生能源发电企业经济损失的,应当承担赔偿责任,并由国家电力监管机构责令限期改正;拒不改正的,由国家电力监管机构处以可再生能源发电企业经济损失额1倍以上2倍以下的罚款。

第三十四条 违反本法第十七条第二款规定,公共可再生能源独立电力系统的管理单位不履行管理义务的,由国家电力监管机构责令限期改正;拒不改正的,由国家电力监管机构处以10万元以上50万元以下的罚款。

第三十五条 违反本法第十八条规定，大型发电企业未完成规定的可再生能源电量指标的，由国家电力监管机构责令限期改正；拒不改正的，对未完成的部分，由国家电力监管机构处以企业所在地可再生能源上网电价1倍以上2倍以下的罚款。

第三十六条 违反本法第二十条第二款规定，市政燃气和供热企业不准许符合入网技术标准的燃气和热力入网，造成燃气和热力生产企业经济损失的，应当承担赔偿责任，并由省级以上人民政府能源主管部门责令限期改正；拒不改正的，由省级以上人民政府能源主管部门处以燃气和热力生产企业经济损失额1倍以上2倍以下的罚款。

违反本法第二十条第三款规定，石油销售企业未按照规定将符合国家标准的生物液体燃料纳入其燃料销售体系，造成生物液体燃料生产企业经济损失的，应当承担赔偿责任，并由省级以上人民政府能源主管部门责令限期改正；拒不改正的，由省级以上人民政府能源主管部门处以生物液体燃料生产企业经济损失额1倍以上2倍以下的罚款。

第三十七条 违反本法第二十一条第三款和第四款规定，阻挠安装太阳能利用系统的，由县级以上人民政府建设主管部门责令限期改正；拒不改正的，由县级以上人民政府建设主管部门处以1万元以上10万元以下的罚款。

第三十八条 违反本法第三十一条规定，电力企业未真实、完整地记载和保存可再生能源发电的账簿和档案，或者拒不接受监督检查的，由国家电力监管机构责令限期改正；拒不改正的，由国家电力监管机构处以10万元以上100万元以下的罚款。

第八章　附　　则

第三十九条　本法中下列用语的含义是：

（一）生物质能，是指利用自然界的植物、粪便以及城乡有机废物转化成的能源，如薪柴、沼气、生物质气化气、生物柴油、燃料乙醇等。

（二）传统燃烧方式，是指通过低效率炉灶直接燃烧薪柴、农作物秸秆等生物质能的方式。

（三）可再生能源独立电力系统，是指不与电网连接的单独运行的可再生能源电力系统。

（四）能源作物，是指经专门种植，用以提供能源原料的草本和木本植物，如甜高粱、甘蔗、木薯、杂交白杨等。

（五）生物液体燃料，是指利用生物质资源生产的甲醇、乙醇和生物柴油等液体燃料。

（六）分类上网电价，是指根据不同类型可再生能源发电（如风力发电、太阳能发电等）的技术和特点确定的不同的上网电价。

第四十条　本法自　　　年　　月　　日起施行。

关于《中华人民共和国可再生能源法(草案)》的说明

(2004 年 12 月 25 日在第十届全国人民代表大会常务委员会第十三次会议上)

全国人大环境与资源保护委员会主任委员　毛如柏

委员长、副委员长、秘书长、各位委员:

我受全国人大环境与资源保护委员会委托,就提请审议的《中华人民共和国可再生能源法(草案)》作说明。

一、制定可再生能源法的必要性和可行性

1980 年至 2000 年,我国的能源利用效率有了显著提高,以能源消费的翻一番支持了国内生产总值翻两番。但是,随着经济规模的迅速扩大,能源资源缺乏、结构不够合理、环境污染严重等问题日益突出,近年来能源的对外依存度不断提高。党的十六大提出了到 2020 年国内生产总值要比 2000 年再翻两番的宏伟战略目标,这对能源安全等问题提出了更高的要求。在新

的形势下，我国有必要大力发展可再生能源。

发展可再生能源是保障能源安全的实际需求。从当前情况看，以小水电、风能利用、太阳能利用、生物质能利用等为代表的可再生能源利用量还不够大，2003 年只有约 5200 万吨标准煤，仅占全国一次能源总消费量的 3%。但是，从目前各地发展可再生能源的势头和国家制定的规划目标看，我国在 2020 年有可能将可再生能源的利用量提高到全国一次能源总消费量的 10%。另据国家发改委有关部门测算，在今后 20 – 30 年内，我国具备可利用条件的小水电、风能、太阳能、生物质能等可再生能源的资源量预计每年可达到 8 亿吨标准煤，开发利用潜力巨大。如果国家政策给予有力的支持，在今后的几十年，我国可再生能源事业还可以得到更大的发展，其利用量在全国一次能源总消费量中的比例还会进一步提高，真正成为继煤炭、石油、天然气之后重要的替代能源之一，为保障我国能源安全，支持经济社会的可持续发展，发挥重要的作用。

发展可再生能源是保护大气环境的迫切需要。化石能源的消耗是大气污染物的主要来源，我国约 90% 的二氧化硫和氮氧化物、70% 的烟尘排放来自于化石能源的生产和消费。二氧化硫、氮氧化物、烟尘等造成的酸雨、呼吸道疾病等已经严重威胁人体健康和经济发展。以煤为主的能源结构，又是温室气体大量排放的重要原因。由此可见，如果我国在 2020 年达到国家确定的可再生能源规划目标，将会产生巨大的环境效益。

发展可再生能源有利于改善农村和偏远地区的生产生活条件。目前，我国 8 亿多农村居民的 60% 左右，仍然主要依靠直接燃烧秸秆、薪柴等生物质提供生活用能，不仅造成严重的室内外环境污染,危害人体健康,还造成植被破坏,威胁生态环境。同时,全国还有约2万个村,约800多万农户、3000万人口没有电力供应,远离现代文明。因此,促进生物质能源的清洁、高效利用,解决偏远地区居民基本电力供应,不仅可以实现农村居民生活用能的优质化,还有助于减少林木砍伐,实现农村发展生产和改善环境的双重目标。

发展可再生能源需要法律的支持和保障。从现实情况看,我国可再生能源的开发利用虽然取得一定进展,但仍存在一些问题。其中主要是:研究开发能力不强,制造技术水平较低,尚未形成规模化的产业体系;开发利用成本相对较高,缺乏市场竞争力,企业难以较快发展;国家缺乏支持可再生能源发展的长期而稳定的政策和制度。因此,为使我国可再生能源获得较大规模的商业化发展,需要国家制定具有权威性的可再生能源发展目标和规划,依法明确各类主体在可再生能源开发利用中的权利和义务,稳定有利于可再生能源发展的经济政策,以增强开发利用者的市场信心,有效扩大可再生能源的市场需求。

当前我国制定可再生能源法具备诸多有利条件。我国在小水电、风能、太阳能、生物质能等领域已经具备一定的技术、产业基础以及初步的市场化发展条件,国际合作前景广阔。国务院以及有关部门为推动可再生能源的发展制定了一系列政策性文件,一些地方还制定了有关的政府规章。上述文件一方面支持了可再生能源事业的发展,同时也为制定本法奠定了良好的制度基础。在本法草案征求意见过程中,国务院及有关部门、地方人大和政府以及有关企业,尤其是农村和偏远地区的干部群众,对发展可再生能源和制定本法,给予了肯定和支持。因此,根据实际,运用法律手段推进可再生能源的开发利用,不仅是必要的,也是可行的。

二、起草中遵循的基本原则

草案起草过程中遵循的基本原则是:

第一,国家责任和全社会支持相结合。世界上许多国家均把开发利用可再生能源作为解决未来能源安全的重要战略途径。从发达国家的经验和我国的实践看,只有明确政府在可再生能源发展中的公共责任,并相应规定公众的有关义务,才能推动可再生能源的开发利用进入大规模的商业化阶段,使之能与常规能源开展竞争。

第二,政府引导和市场运作相结合。在可再生能源发展现有阶段,政府仍然是举足轻重的推动力量。政府推动可再生能源开发利用的主要职责是制定市场规则、规范市场运行、促进市场发展等,为可再生能源同常规能源竞争创造公平的市场环境,引导和激励各类经济主体积极参与到可再生能源的开发利用中来。

第三,当前需求和长远发展相结合。开发利用可再生能源,一方面是解决部分地区特别是农村地区和偏远地区缺乏电力等现代能源的迫切需要,另一方面也是开发风力发电、生物质能发电、太阳能发电和生物液体燃料等新兴技术,促进技术进步和产业成长,改善我国能源结构,保障国家能源安全的长期要求。

三、草案的主要内容

草案共有总则、资源调查与发展规划、产业指导与技术支

持、推广与应用、价格管理与费用分摊、经济激励与监督措施、法律责任和附则八章四十条,主要包括以下内容:

1. 关于可再生能源的范围

草案规定了可再生能源的定义,将可再生能源的范围界定为风能、太阳能、水能、生物质能、地热能和海洋能等,并对可再生能源的开发利用规定了一系列的政策扶持措施。从理论和实际看,所有的水能都属于可再生能源,但是,考虑到大中型水电技术已经成熟,完全实现了商业化,因此,国家有关部门参照国际经验将电站装机容量在5万千瓦以下的水力发电确定为小水电,实行与风能、太阳能等可再生能源类似的政策。草案确认了这一政策规定。

2. 关于可再生能源开发利用的管理体制

国务院能源主管部门实施统一管理,同时明确各有关部门的职责的规定,符合当前我国的实际情况,既有利于可再生能源开发利用工作的组织领导,也有利于发挥各方开发利用可再生能源的积极性,是本法有效实施的重要体制保障。按照国务院的职责分工,草案第五条规定:"国务院能源主管部门对全国可再生能源的开发利用实施统一管理。国务院有关部门在各自的职责范围内负责可再生能源开发利用管理工作。""县级以上地方人民政府能源主管部门对本行政区域内可再生能源的开发利用实施统一管理。县级以上地方人民政府有关部门在各自的职责范围内负责可再生能源开发利用管理工作。"

3. 关于可再生能源中长期总量目标与发展规划

规定能源生产和消费中可再生能源的总量目标,是促进可再生能源开发利用,发展可再生能源市场的有效措施。世界上有许多国家已经在相关法律中明确规定了可再生能源发展目标,为开辟可再生能源市场提供了重要的法律依据。我国有关部门也在相关领域进行了多年的跟踪研究,为逐步实施这一制度奠定了良好的基础。为此,草案第七条规定:“国务院能源主管部门根据我国能源需求与可再生能源资源实际状况,制定全国可再生能源开发利用中长期总量目标,报国务院批准后执行,并向社会公布。”“国务院能源主管部门根据前款规定的总量目标和各省、自治区、直辖市经济发展与可再生能源资源实际状况,会同省、自治区、直辖市人民政府确定各行政区域可再生能源开发利用中长期目标,并向社会公布。”

可再生能源开发利用比较先进的国家,通常都根据可再生能源发展目标,制定详细的、具有法律效力的规划,指导和规范可再生能源开发利用。根据目标制定有关规划,也是我国资源管理中的通常做法。根据国内外的成功经验,草案第八条规定了可再生能源发展规划的编制、审批和修改程序。

4. 关于支持可再生能源并网发电

明确规定电网企业要为可再生能源电力上网提供便利,并全额收购符合标准的可再生能源电量,是使可再生能源电力企业得以生存,并逐步提高能源市场竞争力的重要措施,这同我国现行可再生能源并网发电的政策也是一致的。为此,草案第十四条第一款规定:“国家鼓励和支持可再生能源并网发电。”第十五条规定:“电网企业应当全额收购其电网覆盖范围内经核准或者备案的可再生能源并网发电项目的上网电量。”

5. 关于可再生能源上网电价与费用分摊

合理的价格机制是引导可再生能源开发利用的关键,它为市场主体提供准确的信息,引导他们向可再生能源领域投资,有利于可再生能源开发利用的规模化和商业化。根据我国电价改革的实际情况和促进可再生能源开发利用的要求,并借鉴一些发达国家的成功经验,草案规定实行分类上网电价制度,即按照风力发电、太阳能发电、小水电、生物质能发电等不同的技术类型和成本水平,确定不同的上网电价。为此,草案第二十三条规定:“国家对可再生能源发电实行分类上网电价制度。”“分类上网电价由国务院价格主管部门根据不同类型可再生能源发电的特点,按照有利于可再生能源发展的原则测算确定,并定期向社会公告。”

国内外经验证明,全社会的支持是推动可再生能源开发利用的必要条件。总体来看,目前可再生能源上网电价要高出常规能源上网平均电价,其中的差额部分要在销售电价中分摊。随着科技的进步,可再生能源发电成本会不断降低,在销售电价中分摊的差额费用将逐步缩小,直至不再分摊。为此,草案第二十四条对在销售电价中分摊差额费用问题作了原则规定。

6. 关于经济激励措施

考虑到现阶段可再生能源开发利用的投资成本比较高,为加快技术开发和市场形成,尚需要国家给予必要的扶持。这也是国际上通行的做法。草案分别就设立可再生能源发展专项资金,为可再生能源开发利用项目提供财政贴息贷款,对列入可再生能源产业发展指导目录的项目提供税收优惠等扶持措施作了规定。

同时,草案第七章规定了违反本法应当承担的法律责任。

《中华人民共和国可再生能源法(草案)》和以上说明是否妥当,请审议。

全国人大法律委员会关于《中华人民共和国可再生能源法(草案)》审议结果的报告

(2005年2月25日在第十届全国人民代表大会常务委员会第十四次会议上)

全国人民代表大会常务委员会:

十届全国人大常委会第十三次会议对可再生能源法(草案)进行了初步审议。会后,全国人大常委会办公厅将草案送国务院办公厅,征求国务院的意见;法制工作委员会将草案印发各省(区、市)、中央有关部门和部分企业、研究机构等单位征求意见,并到一些地方进行调研。法律委员会于2月6日召开会议,根据常委会组成人员的审议意见和各方面的意见,对草案进行了逐条审议。环境与资源保护委员会和国务院法制办、国家发改委的负责同志列席了会议。2月22日,法律委员会召开会议,再次进行了审议。法律委员会认为,为了促进可再生能源的开发利用,制定可再生能源法是必要的,草案基本可行;同时,提出以下主要修改意见:

一、草案第二条规定,本法所称可再生能源包括水能等非化石能源,但电站总装机容量超过5万千瓦的水力发电不适用本法。对这一规定,常委会组成人员和地方、部门、专家有不同意见:有的赞成草案的规定;有的认为水能本来就是可再生能源,本法不应只适用于总装机容量不超过5万千瓦的小水电;有的提出,发展水电也应尊重科学、统筹考虑,盲目发展会对生态环境造成不利影响。法律委员会经同环境与资源保护委员会、国务院法制办研究认为,水力发电适用本法的问题,宜由国务院能源主管部门进一步组织研究论证后作出规定,报国务院批准。据此,法律委员会建议将这一条中关于水力发电的规定修改为:“水力发电对本法的适用,由国务院能源主管部门规定,报国务院批准。”

二、草案第十二条规定,国务院质量技术监督部门会同国务院有关部门,依法建立可再生能源开发利用设备和产品的检测、检验和认证制度。有的常委委员提出,企业应当依法自行建立产品质量的检测、检验制度,对产品质量负责;政府有关部门对产品质量的监督抽查和认证,产品质量法和有关行政法规已有规定,本法不必再作重复规定。法律委员会赞成这个意见,建议删去这一条。

三、草案第十七条第二款规定:“国家投资或者补贴建设的公共可再生能源独立电力系统,由项目审批时明确的项目法人负责管理。”有的常委委员和地方、部门提出,“项目法人”的含义不清楚。在现实生活中,有的项目建成后是由该项目的建设单位负责经营管理的,有的是由项目建成后新设立的企业或者交由其他企业经营管理的,这个问题应根据不同情况在实际工作中确定，不必在法律中规定。法律委员会经同环境与资源保护委员会、国家发改委研究，赞成这个意见，建议删去这一款。

四、草案第十八条规定，国务院能源主管部门可以根据燃煤发电装机的权益容量，规定大型发电企业的可再生能源电量指标，大型发电企业必须执行。对这一规定，常委委员和地方、部门、专家有不同意见：有的赞成草案的规定；有的提出，如要规定可再生能源电量指标，就应遵循市场主体平等的原则，不宜只适用大型燃煤电厂；有的提出，草案关于电网企业必须按照政府确定的有利于可再生能源发展的价格全额收购可再生能源发电项目上网电量的规定，已能起到引导、鼓励发电企业多利用可再生能源发电的作用，可以不再在法律中对发电企业的可再生能源电量指标作出强制性规定。法律委员会经同环境与资源保护委员会、国务院法制办研究认为，鉴于在这个问题上意见分歧较大，还需要在实践中进一步试验、研究，目前难以在法律中作规定，可以由国务院在认为必要时作出规定。因此，法律委员会建议删去这一条。

五、草案第十九条规定："国家鼓励单位和个人自愿认购可再生能源产品。"有的常委委员和地方、部门提出，草案已经规定，电网企业必须全额收购可再生能源发电项目的上网电量，经营燃气、热力管网的企业必须接收利用可再生能源生产的燃气、热力入网。对入网的电力、燃气、热力等产品，用户只能按规定的统一价格支付费用，无法再区分是否是利用可再生能源生产的，上述规定实际难以执行。法律委员会经同环境与资源保护委员会研究，赞成这个意见，建议删去这一条。

六、草案第三十条规定，国家对列入可再生能源产业发展指导目录的项目给予税收优惠;对可再生能源开发利用设备的生产、销售和利用可再生能源生产的电力等产品,减征或者免征增值税;税收优惠的具体办法由国务院规定。有的常委委员和部门提出,目前正在对增值税进行改革,本法对减免增值税的问题以不作具体规定为妥。有的部门提出,对可再生能源的开发利用除了应给予减免增值税的优惠以外,还应给予减免所得税的优惠。法律委员会经同环境与资源保护委员会、国务院法制办研究认为,对可再生能源的开发利用给予税收优惠是必要的,具体优惠办法宜由国务院规定。据此,法律委员会建议将这一条修改为:"国家对列入可再生能源产业发展指导目录的项目给予税收优惠。具体办法由国务院规定。"

七、草案第三十七条规定,违反本法有关规定,拒绝在建筑物上安装太阳能利用系统并拒不改正的,处一万元以上十万元以下罚款。有的常委委员和地方提出,目前我国对建筑物安装太阳能利用系统还没有相关的技术经济政策和技术规范,单位和个人在公共建筑物上安装太阳能利用系统,还有一些实际问题需要进一步研究,法律对此作出鼓励和引导性的规定是可以的,但规定为强制性义务并追究法律责任,条件尚不具备。法律委员会经同环境与资源保护委员会、国务院法制办研究,赞成这个意见,建议保留草案第二十一条关于国家鼓励单位和个人安装太阳能利用系统的规定,删去草案第三十七条关于法律责任的规定。

八、草案第三十八条规定,电力企业未真实、完整地记载和保存可再生能源发电的账簿、档案或者拒不接受监督检查并拒不改正的,由电力监管机构处以十万元以上一百万元以下的罚款。有的常委委员提出，对拒不接受依法进行的监督检查的，有的应当依照治安管理处罚的规定，给予行政处罚；构成犯罪的，应当依法追究刑事责任；对未真实、完整地记载和保存账簿等资料的行为，可以分别依照会计法和电力监管条例等法律、行政法规的规定处罚，本法对此不必重复规定。法律委员会经同环境与资源保护委员会、国务院法制办研究，赞成这个意见，建议删去这一条。

此外，还对草案作了一些文字修改。

草案二次审议稿已按上述意见作了修改，法律委员会建议本次常委会会议审议通过。

草案二次审议稿和以上报告是否妥当，请审议。

附录三：

中华人民共和国可再生能源法修正案（草案）

第十一届全国人民代表大会常务委员会第　　次会议决定对《中华人民共和国可再生能源法》作如下修改：

一、将第八条修改为："国务院能源主管部门会同国务院有关部门，根据全国可再生能源开发利用中长期总量目标、能源发展战略和可再生能源技术发展状况，编制全国可再生能源开发利用规划，报国务院批准后实施。

国务院有关部门应当制定有利于促进全国可再生能源开发利用中长期总量目标实现的相关规划。

省、自治区、直辖市人民政府管理能源工作的部门会同本级人民政府有关部门，依据全国可再生能源开发利用规划，根据本行政区域可再生能源开发利用中长期目标，编制本行政区域可再生能源开发利用实施规划，经本级人民政府批准后，报国务院能源主管部门和国家电力监管机构备案，并组织实施。

经批准的规划应当公布；但是，国家规定需要保密的内容除外。

经批准的规划需要修改的,须经原批准机关批准。"

二、将第九条修改为:"编制可再生能源开发利用规划以及实施规划,应当坚持因地制宜、统筹兼顾、合理布局、有序发展的原则。规划内容应包括发展目标、主要任务、区域布局、重点项目、实施进度、服务体系和保障措施等。

组织编制机关应当广泛听取专家和公众的意见,进行科学论证。"

三、第十四条增加两款,作为第一、二款:"国家实行可再生能源发电全额保障性收购制度。

国务院能源主管部门会同国家电力监管机构和国务院财政部门,依照全国可再生能源开发利用规划,制定全国可再生能源发电量的年度收购指标和实施计划,确定并公布对电网企业应达到的全额保障性收购可再生能源发电量的最低限额指标。国家电力监管机构负责监管最低限额指标的实施。"

将第三款修改为:"电网企业应当依据前款规定的最低限额指标,与依法取得行政许可或者报送备案的可再生能源发电企业签订并网协议,收购不低于最低限额指标的可再生能源并网发电项目的上网电量。发电企业有义务配合电网企业保障电网安全。"

增加一款,作为第四款:"电网企业应当加强电网规划和建设,扩大可再生能源电力配置范围,发展和应用智能电网等先进技术,完善电网运行管理,提高吸纳可再生能源电力的能力,为可再生能源发电提供上网服务。"

四、将第二十条修改为:"电网企业依照本法第十九条规定确定的上网电价收购可再生能源电量所发生的费用,高于按照常规能源发电平均上网电价计算所发生费用之间的差额，由在全国范围对销售电量征收可再生能源电价附加补偿。可再生能源电价附加列入可再生能源发展基金管理。”

五、将第二十四条修改为：“国家设立政府基金性质的可再生能源发展基金。来源包括国家财政年度安排专项资金和征收的可再生能源电价附加等，用于支持以下活动：

（一）可再生能源开发利用和并网的科学技术研究、标准制定、检测认证和示范工程；

（二）农村、牧区生活用能的可再生能源利用项目；

（三）偏远地区和海岛可再生能源独立电力系统建设；

（四）可再生能源的资源勘查、评价和相关信息系统建设；

（五）促进可再生能源开发利用设备的本地化生产；

（六）依照本法第二十条、第二十二条规定的差额费用；

（七）依照本法第二十一条规定的接网费用以及其他相关费用，电网企业不能通过销售电价回收的，可以申请可再生能源发展基金补助。

可再生能源发展基金的管理办法由国务院财政部门会同国务院能源、价格等有关主管部门制定。”

六、将第二十九条修改为：“违反本法第十四条规定，电网企业未完成收购可再生能源电量的最低限额指标的，由国家电力监管机构责令限期改正；造成可再生能源发电企业经济损失的，应当承担赔偿责任；拒不改正的，处以可再生能源发电企业经济损失额一倍以下的罚款。”

关于《中华人民共和国可再生能源法修正案(草案)》的说明

(2009年8月24日在第十一届全国人民代表大会常务委员会第十次会议上)

全国人大环境与资源保护委员会主任委员 汪光焘

委员长、各位副委员长、秘书长、各位委员:

我受全国人大环境与资源保护委员会的委托,现对《中华人民共和国可再生能源法修正案(草案)》说明如下:

一、可再生能源法修改的提出

《中华人民共和国可再生能源法》于2005年审议通过后,对加快推动我国可再生能源开发利用产生了非常重要的作用,国家各种配套规定相继出台,风力发电、太阳能发电等各种可再生能源产业迅猛发展,风力发电连续4年翻番,2008年年底全国风电装机达到1250万千瓦;太阳能热利用、农村沼气以及其他生物质利用也取得长足进步。可再生能源法不仅成为我国可再生能源发展的重要法律保障,在国际上也产生了积极良好的影响。

但是,随着近年来我国可再生能源产业快速发展,可再生能源法实施中存在的一些问题逐步暴露出来。对此全国人大代表也通过代表议案和代表建议多次反映。2009 年十一届全国人大二次会议上褚君浩等 30 位代表和王燕文等 47 位代表针对可再生能源发电上网和电价问题,提出有关修改可再生能源法的代表议案(第 0086、0486 号议案)。2008 年有 83 位代表和西藏代表团提出了有关加强可再生能源开发利用、完善有关法律和配套政策的 20 项代表建议,并被列为 2009 年全国人大常委会继续督办的重点办理建议。这些代表议案和代表建议内容翔实,分析有据,国内外有对比。所提出的意见和建议,明确要求解决电网规划和建设不适应可再生能源发电发展,可再生能源发电上网电价与费用分摊机制不完善,配套优惠财税政策未能有效落实等突出问题,并建议通过修改完善和有效实施可再生能源法分别加以解决。

为认真办理代表议案和代表建议,有效解决可再生能源法实施中的突出问题,我委对可再生能源法三年来的实施情况,开展了可再生能源法的法律后评估工作,形成了后评估报告。报告全面回顾总结了可再生能源法实施以来我国可再生能源产业的进展,归纳梳理了法律实施中存在的主要问题,对代表议案和代表建议所提出立法建议的必要性和可行性进行了分析,同时提出了有关法律条文的修改意见。在后评估工作的基础上,围绕有关法律条文修改意见,我委先后于 6 月 23 日、6 月 29 日组织召开了专家座谈会和国务院有关部门座谈会,并于 7 月 8 日赴内蒙古进行了调研,召开了由提出代表议案的全国人大代表和部分地方人大、政府相关部门、企业代表参加的座谈会。随后，于7月10日和7月17日两次召开条款修改协调会，请国家发改委、财政部、科技部、住房和城乡建设部、国务院法制办、国家能源局、国家电监会、国家电网公司等有关部门和单位分别提出修改意见和建议，并反复协调意见和建议。通过调研、座谈和反复论证，同有关部门和单位反复协调同意，并正式发文征求了国务院法制办意见，就上述法律条文的修改基本达成了一致意见。2009年7月22日，十一届全国人大环境与资源保护委员会第十三次会议讨论通过了《中华人民共和国可再生能源法修正案（草案）》，现提请全国人大常委会审议。

二、可再生能源法条款修改的原则和主要内容

在现行可再生能源法的"国家责任和全社会支持相结合、政府引导和市场运作相结合、当前需求和长远发展相结合"三项原则的基础上，根据代表议案和代表建议以及法律实施后评估报告，我们在法律修正案（草案）的起草过程中突出强调了以下三个原则：一是统筹规划的原则。加强可再生能源开发利用规划与国家能源发展战略的综合协调，强化国家规划对地方规划的指导调控作用，促进可再生能源产业科学的快速有序发展，又要防止不具备基本条件时盲目发展；二是市场配置与政府宏观调控相结合的原则。坚持现行法律确定的市场配置资源与竞争机制，坚持可再生能源并网发电的招标制度的同时，通过保障性收购的最低限额指标，加强政府对可再生能源市场的宏观调控能力；三是国家扶持资金集中统一使用的原则。在现有资金渠道不变的情况下，将国家财政设立的可再生能源发展专项资金和

可再生能源电价附加资金集中使用,调整资金管理方式,形成政府统一调控的可再生能源发展基金。

根据上述原则,我们对现行可再生能源法第八条、第九条、第十四条、第二十条、第二十四条作了修改,并对涉及的法律责任条款第二十九条作了相应修改。

(一)关于第八条和第九条可再生能源开发利用规划的规定

近年来,随着我国可再生能源产业的快速发展,可再生能源开发利用规划及其实施中的一些问题也逐步暴露出来,如规划缺乏足够的资源评价基础,规划目标缺乏科学预见性,国家和地方规划间缺乏相互衔接,使可再生能源的发电规划同电网规划不同步、不协调的问题日益突出。例如我国风能主要分布在三北(华北、西北、东北)和东南沿海等偏远地区,绝大部分处于电网末梢,电网建设相对薄弱,致使东北、内蒙古、西北等风能资源丰富地区的风电难以输送到负荷中心。同时,一些地方在不具备并网条件下,盲目扩大可再生能源发电规模。因此,需要在法律规定上加强规划的统筹协调,强化可再生能源开发利用规划同国家能源发展战略的衔接,明确地方根据全国规划编制地方实施规划,增加规划编制的原则和内容,有效发挥规划的指导和调控作用。

为此,建议修改第八条第一款,明确要依据能源发展战略和可再生能源技术发展状况,编制全国可再生能源开发利用规划,报国务院批准后实施;第三款明确省、自治区、直辖市人民政府管理能源工作的部门会同本级人民政府有关部门,依据全国可再生能源开发利用规划,编制本行政区域可再生能源开发利用实施规划,经本级人民政府批准后,报国务院能源主管部门和国家电力监管机构备案，并组织实施。

为增强批准的全国和省级可再生能源开发利用规划的调控作用，第九条对可再生能源开发利用规划以及实施规划增加了规划编制原则和具体内容，明确规定应当坚持因地制宜、统筹兼顾、合理布局、有序发展的原则。规划内容应包括发展目标、主要任务、区域布局、重点项目、实施进度、服务体系和保障措施等。

（二）关于第十四条可再生能源发电全额保障性收购制度

对可再生能源发电实施全额保障性收购制度，是强化有关电网企业收购可再生能源的责任和义务，培育可再生能源市场和产业的重要手段。现行可再生能源法虽然规定了全额收购制度，但主要是通过在电网覆盖范围内发电企业与电网企业履行并网协议来解决，实施中由于双方企业利益关系和责任关系不明确，缺乏对电网企业的有效行政调控手段和对电网企业的保障性收购指标要求，难以落实有关全额收购的规定。为此，根据代表议案和有关方面的建议，建立全额保障性收购制度，这也是一些国家在可再生能源起步和成长阶段实施的重要政策。建议在第十四条增加国家实行可再生能源发电全额保障性收购制度的规定，并明确提出国务院能源主管部门会同国家电力监管机构和国务院财政部门，依照全国可再生能源开发利用规划，制定全国可再生能源发电量的年度收购指标和实施计划，确定并公布对电网企业应达到的全额保障性收购可再生能源发电量的最低限额指标。国家电力监管机构负责监管最低限额指标的实施。同时，将原第十四条内容修改调整为第三款，明确规定电网企业应当依据前款规定的最低限额指标，与依法取得行政许可或者报送备案的可再生能源发电企业签订并网协议，收购不低于最低限额指标的可再生能源并网发电项目的上网电量。发电企业有义务配合电网企业保障电网安全。

强化电网企业规划和建设配套电网设施的责任，是落实可再生能源开发利用规划的前提条件，也是落实有关全额保障性收购要求的重要前提。现行可再生能源法对电网企业规划和建设配套电网设施没有做出规范，电网规划和建设滞后于可再生能源发电的情况比较突出，一些地区可再生能源发电项目难以及时并网发电，已经严重制约了可再生能源开发利用的持续健康发展。为此，建议在第十四条增加一款，规定电网企业应当加强电网规划和建设，扩大可再生能源电力配置范围，发展和应用智能电网等先进技术，完善电网运行管理，提高吸纳可再生能源电力的能力，为可再生能源发电提供上网服务。同时，为了保障电网企业的运行安全和合理利益，提高电网企业收购可再生能源电量的积极性，建议国务院有关部门进一步落实本法第二十一条有关电网费用的规定，坚持发挥市场对资源配置作用，同时坚持政府对市场的调控，加快落实国务院批准的电价改革方案，完善电网企业定价机制，及时消纳可再生能源电力随机性、间歇性等因素带来的新增合理成本。

同时，根据第十四条的修改内容，我们相应修改了第二十九条法律责任条款。

（三）关于第二十条可再生能源电价附加和第二十四条设立可再生能源发展基金的有关规定

建立可再生能源发展基金，是政府重要的经济调控手段，也是国际上很多国家推进可再生能源持续快速发展所采用的有效办法。目前我国已建立了可再生能源电价附加资金制度，征收标准为每千瓦时2厘钱，2009年全年预计征收45亿元左右。依照现行可再生能源法第二十条规定和有关部门规章，当前可再生能源电价附加通过电网企业网间结算方式调配：一是可再生能源附加计为电网企业收入，所缴纳增值税和所得税等要占全部附加资金的三分之一；二是资金调配周期长，补贴资金不能及时到位，电力企业资金压力较大。从长远来看，附加资金规模会不断扩大。全国人大代表和各地人大以及国务院有关部门明确建议改为基金方式征收和调配。具体意见是把现行可再生能源法规定征收的电价附加和国家财政专项资金合并为政府基金性质的国家可再生能源发展基金。考虑到基金征收、使用和管理涉及国务院财政、价格、能源等多个部门的职责，我们建议有关部门共同协作修改和制定相关的配套规定，把基金切实管好用好，有效发挥其扶持我国可再生能源产业的积极作用。

为此，建议第二十条修改为：电网企业依照本法第十九条规定确定的上网电价收购可再生能源电量所发生的费用，高于按照常规能源发电平均上网电价计算所发生费用之间的差额，由在全国范围对销售电量征收可再生能源电价附加补偿。可再生能源电价附加列入可再生能源发展基金管理。同时，建议修改第二十四条，规定国家设立政府基金性质的可再生能源发展基金。来源包括国家财政年度安排专项资金和征收的可再生能源电价附加等。鉴于我国部分地区难以通过当地电网的销售电价消纳可再生能源发电接网费用，建议在基金使用范围中增加两项：一项是依照本法第二十条、第二十二条规定的差额费用；另一项是依照本法第二十一条规定的接网费用以及其他相关费用，电网企业不能通过销售电价回收的，可以申请可再生能源电价附加补助。规定可再生能源发展基金的管理办法由国务院财政部门会同国务院能源、价格等有关主管部门制定。

此外，一些代表和有关部门也提出了对第十九条可再生能源发电项目上网电价制度的修改意见。我们对此进行了认真研究后认为，现行法律中有关可再生能源发电上网电价的条款规定了有利于促进可再生能源开发利用和经济合理性的原则，确立了政府定价与招标定价相结合、政府调控与市场竞争相结合的机制，这些规定在现行阶段是适用的。当前出现的上网电价问题，主要反映了在法律具体实施中没有处理好有利于促进可再生能源开发利用的原则和经济合理性原则的关系，没有处理好政府定价和招标定价的关系。解决有关上网电价问题的关键不是修改法律的相关规定，而是完善法律实施办法，加快制定并公布全国可再生能源分类上网电价，并在此基础上鼓励发电企业适度竞争，逐步降低电价水平。为此，我们认为可暂不修改有关法律条款。

《中华人民共和国可再生能源法修正案（草案）》和以上说明是否妥当，请审议。

全国人民代表大会法律委员会关于《中华人民共和国可再生能源法修正案(草案)》审议结果的报告

(2009年12月22日在第十一届全国人民代表大会常务委员会第十二次会议上)

全国人民代表大会常务委员会:

常委会第十次会议对可再生能源法修正案(草案)进行了初次审议。会后,法制工作委员会将草案印发各省(区、市)和中央有关部门等单位征求意见。中国人大网站全文公布草案,向社会征求意见。法律委员会、环境与资源保护委员会和法制工作委员会联合召开座谈会,听取有关部门和企业的意见。法律委员会、法制工作委员会还到一些地方调研,并就主要问题同有关部门交换意见,共同研究。法律委员会于12月4日召开会议,根据常委会组成人员的审议意见和各方面的意见,对草案进行了逐条审议。环境与资源保护委员会负责同志和国务院法制办、国家能源局有关负责同志列席了会议。12月15日,法律委员会召开会议,再次进行了审议。法律委员会认为,现行可再生能源法对促进我国可再生能源的发展发挥了十分重要的作用。针对实施中的问题,对这部法律有的规定加以修改完善是必要的;同时,对草案提出以下主要修改意见:

一、修正案草案第二条对现行可再生能源法第九条作了修改,增加规定了可再生能源开发利用规划应包括的主要内容。有的常委委员和地方、部门、企业提出,可再生能源开发利用规划应包括配套电网建设的内容,以保障可再生能源发电项目建设与配套电网建设相协调。法律委员会经同环境与资源保护委员会和国务院法制办研究,建议在这一条规定的规划主要内容中,增加“配套电网建设”的规定。(修改决定草案第二条第一款)

二、修正案草案第三条将现行可再生能源法第十四条关于电网企业应全额收购其电网覆盖范围内可再生能源并网发电项目上网电量的规定,修改为:国家实行可再生能源发电全额保障性收购制度。国务院能源主管部门会同国家电力监管机构和国务院财政部门制定全国可再生能源发电量的年度收购指标和实施计划,确定电网企业应收购的可再生能源发电量的最低限额指标。电网企业应当与可再生能源发电企业签订并网协议,收购不低于最低限额指标的可再生能源并网发电项目的发电量。有些常委委员和地方、部门、企业提出,这一条中对可再生能源发电实行“全额保障性收购”与按“最低限额指标”收购的规定有矛盾。国家能源局、国家电监会等部门和一些地方、企业提出,鉴于风能、太阳能等可再生能源发电的特点,对其发电量难以作出符合实际的短期预测,由政府部门事先确定电网企业收购可再生能源发电量的年度最低限额指标的规定,实际中难以操作。法律委员会经同环境与资源保护委员会和国务院法制办、国家能源局、国家电监会研究认为,为促进可再生能源发电的发展,由有关部门制定提高可再生能源发电占全部发电量比重的规划目标以及电网企业优先调度和全额收购可再生能源发电量的具体办法,并在年度中督促落实,是必要和可行的;对按照规划建设的可再生能源发电项目所发电量,符合并网技术标准的,电网企业应当全额收购。据此,法律委员会建议将草案上述规定修改为:国家实行可再生能源发电全额保障性收购制度。国务院能源主管部门会同国家电力监管机构和国务院财政部门,按照全国可再生能源开发利用规划,确定在规划期内应达到的可再生能源发电量占全部发电量的比重,制定电网企业优先调度和全额收购可再生能源发电量的具体办法,并由国务院能源主管部门会同国家电力监管机构在年度中督促落实。电网企业应当与按照可再生能源开发利用规划建设的依法取得行政许可或报送备案的可再生能源发电企业签订并网协议,全额收购其电网覆盖范围内符合并网技术标准的可再生能源并网发电项目的上网电量。(修改决定草案第二条第一款至第三款)

此外,还对修正案草案作了一些文字修改。

法律委员会已按上述意见提出了全国人大常委会关于修改可再生能源法的决定(草案),建议本次常委会会议审议通过。

修改决定(草案)和以上报告是否妥当,请审议。

全国人民代表大会法律委员会关于《全国人民代表大会常务委员会关于修改〈中华人民共和国可再生能源法〉的决定(草案)》修改意见的报告

(2009 年 12 月 25 日在第十一届全国人民代表大会常务委员会第十二次会议上)

全国人民代表大会常务委员会:

本次常委会会议于 12 月 23 日上午对关于修改可再生能源法的决定(草案)进行了分组审议。普遍认为,草案比较成熟,建议进一步修改后,提请本次会议表决通过;同时,有些常委会组成人员还提出了一些修改意见。法律委员会于 12 月 23 日下午召开会议,逐条研究了常委会组成人员的审议意见,对草案进行了审议。环境与资源保护委员会和国务院法制办、国家能源局的负责同志列席了会议。法律委员会认为,草案是可行的,同时提出以下修改意见:

一、草案第二条对编制可再生能源开发利用规划的原则和主要内容作了规定。有的常委委员提出，编制可再生能源开发利用规划，应对风能、水能、太阳能、生物质能等各类可再生能源的开发利用作出统筹安排。法律委员会经同环境与资源保护委员会和国家能源局研究，建议在这一条中增加对各类可再生能源的开发利用作出统筹规划的规定。（建议表决稿第二条）

二、有的常委委员提出，草案将现行可再生能源法第二十条中关于电网企业按照规定的上网电价收购可再生能源发电量所发生的费用，高于按常规能源发电平均上网电价计算所发生的费用之间的差额，“附加在销售电价中分摊”的规定，修改为“由在全国范围内对销售电量征收可再生能源电价附加补偿”，即不再使用“费用分摊”的表述，据此，也应对这一章“价格管理与费用分摊”的章名作相应修改。法律委员会赞成这个意见，建议将现行可再生能源法第五章的章名改为“价格管理与费用补偿”，并将现行可再生能源法第二十二条中的“分摊”相应改为“补偿”。（建议表决稿第四条、第六条）

此外，根据常委会组成人员的审议意见，还对草案作了个别文字修改。

草案建议表决稿已按上述意见作了修改，法律委员会建议本次常委会会议通过。

草案建议表决稿和以上报告是否妥当，请审议。

十一届全国人大常委会第十次会议审议可再生能源法修正案草案的意见

十一届全国人大常委会第十次会议对可再生能源法修正案草案进行了审议。现将审议意见简报如下：

一、总的意见

在会议上发言的常委会组成人员普遍认为，可再生能源法实施以来，对促进可再生能源的发展发挥了重要作用，为适应新的情况和问题，对可再生能源法进行适当修改是必要的。

有些常委委员提出，我国可再生能源的发展存在着上网难和风能、太阳能光伏材料制造的无序发展、重复建设、资源消耗及缺乏自主创新核心技术等问题。在对可再生能源法进行修改时，既要考虑如何促进，又要考虑如何防止盲目发展。有的委员提出，可再生能源法确定的制度应保持稳定性、公平性和可预见性。有的委员提出，目前可再生能源发展的大方向是没问题的，主要还是引导、规范和促进发展的问题。

有些常委会组成人员提出，这次修正案的重点放在了风电和太阳能发电上，但可再生能源是一个完整概念，目前技术成熟、质量最好的是水能,建议对水能的开发利用增加必要的规范。有些常委会组成人员和列席的同志提出,可再生能源发电不够稳定,应当引导风电就地消化利用,还应鼓励太阳能热能的直接利用。有些常委委员提出,我国对利用农作物秸秆和林业剩余物发展生物质能源的扶持力度较小,应对生物质能源开发利用加以规范和扶持,以促进生态环境建设和农民增收。

有的常委会组成人员提出,草案对可再生能源的规划、收购、基金作了修改,修改方向都很好,唯一担心的是操作性怎么样。有的委员提出,草案授权条款过多,建议增加具有可操作性的条款。有的委员提出,可再生能源法总体上是政策框架法,其有效实施有赖于国务院及其有关部门及时出台配套规定、技术规范。

二、关于可再生能源开发利用规划

有的委员建议,将草案第一条中关于"国务院有关部门应当制定有利于促进全国可再生能源开发利用中长期总量目标实现的相关规划"的规定,修改为:"国务院有关部门应当根据全国可再生能源开发利用规划,制定相关规划"。

草案第一条第三款规定,省级政府管理能源工作的部门会同同级有关部门,依据全国可再生能源开发利用规划,根据本行政区域可再生能源开发利用中长期目标,编制本行政区域可再生能源开发利用实施规划,经批准后,报国务院能源主管部门和国家电力监管机构备案。有的委员提出,上述规定中的"根据"与"依据"有重复,建议简化。有的委员提出,可再生能源开发利用实施规划不仅仅涉及发电和上网问题,还有非发电项目,建议在报送备案的部门中增加“农业”等有关部门。有的委员建议增加规划应当接受公众监督的内容。有的委员提出，为加强国家宏观调控，建议规定省级的可再生能源开发利用规划应报国务院能源主管部门和国家电力监管机构审查同意。

草案第二条中规定，编制可再生能源开发利用规划以及实施规划，应当坚持因地制宜、统筹兼顾、合理布局、有序发展的原则。规划的内容应包括发展目标、主要任务、区域布局、重点项目、实施进度、服务体系和保障措施等。有的委员提出，草案规定的规划编制原则不是法律语言，也没有必要规定，建议删去。有的委员建议将“统筹兼顾”改为“统一规划”；有的委员建议增加“立足国内”“自主创新”的原则。有的委员建议将“实施规划”改为“实施细则”。

三、关于可再生能源发电全额保障性收购制度

草案第三条中规定：国家实行可再生能源发电“全额保障性收购制度”；国务院能源主管部门会同国家电力监管机构和国务院财政部门，制定全国可再生能源发电量的“年度收购指标”和实施计划，确定并公布对电网企业应达到的全额保障性收购可再生能源发电量的“最低限额指标”；电网企业应当依据最低限额指标，与可再生能源发电企业签订并网协议，收购其不低于最低限额指标的上网电量。

有些常委委员提出，可再生能源发电的“全额保障性收购制度”与可再生能源发电量的“年度收购指标”、电网企业收购可再生能源发电量的“最低限额指标”的规定相互矛盾。“全额保障性收购”应是发多少收多少，电网企业以完成了收购“最低限

额指标”为由就可以不再收购了，如何体现“全额保障性收购”？

有的委员提出，这次修改增加电网企业收购可再生能源发电量的“最低限额指标”，不可取，对刚刚起步的风电是个打击，实际操作也不可行。冬天是风电最好的季节，如到11月份电网企业的收购指标完成了，是否还能继续发电？电网企业对超出指标的发电部分就可能会压价收购。应当通过发展智能电网解决风电盲目发展的问题。一定要坚持全额收购可再生能源发电量。

有的委员提出，电网建设不适应可再生能源的并网需要，要靠建设智能电网的经济手段来解决，至于如何确定指标、制定计划等都是规划的内容，都不是法律本身应规定的内容，建议对现行可再生能源法第十四条不作修改，或在这一条全额收购可再生能源上网电量规定中的“全额收购”前加“优先”二字。

有的委员提出，不宜采取制定年度收购指标和最低收购限额的方式，而应通过制定合理的办法保障可再生能源发电量的全额上网。建议在现行可再生能源法第十四条的基础上增加规定：国务院能源主管部门会同国家电力监管机构和国务院财政部门，制定全国可再生能源发电量的全额收购办法，确保可再生能源开发项目的发电量全额上网。国家电力监管机构和地方政府能源管理部门负责监管可再生能源发电量全额上网利用。

有的常委会组成人员提出，草案规定的全额保障性收购都需要补贴，有关部门有没有定量地计算过，每年补贴需要多少钱？写上去以后，做不下来怎么办？这个问题一定要心中有数。有的委员提出，可再生能源发电的全额保障性收购制度能否做到，需要认真研究。建议借鉴国外的绿色证书交易制度。有的委员提出,可再生能源并网的瓶颈在智能电网上,不建设智能电网,也就没有办法解决可再生能源的全额保障性收购。

有的委员提出,电网的结构要求火电必须占一定比例,南方小水电站丰水期满发时也不可能全收,建议将有关全额保障性收购的规定修改为"根据各地方电网的结构制定电网最大可能收购可再生能源发电量的指标"。有的委员提出,可再生能源发电的"全额保障性收购"和"年度收购指标"、"最低限额指标"容易引起歧义,建议将"全额保障性收购"改为"保障性收购";明确"年度收购指标"为一段时间内的年收购额;并将"限额"改为"配额"。有的委员建议增加可再生能源发电量的年度收购"价格"的内容。

有的委员提出,在技术条件、电网支撑能力具备的条件下,要最大限度做到可再生能源发电的全额保障性收购。确定最低限额指标只能是过渡性规定。

草案第三条第四款规定,电网企业应当加强电网规划和建设,发展和应用智能电网等先进技术,完善电网运行管理,为可再生能源发电提供上网服务。有的委员提出,有关接入电网的技术规定应由国家主管部门协调发电企业与电网企业共同制定,如果发电企业达不到标准,全额收购就是一句空话。有的委员建议明确,电网管理和技术问题由电网企业和发电企业自己解决,不要把企业的问题推给社会和政府。有的委员提出,智能电网的概念不清楚,不是法律语言,建议删去。

草案第六条对电网企业未完成收购可再生能源电量的最低限额指标规定了法律责任。有的委员建议将"未完成收购可再生能源电量的最低限额指标"改为"拒绝收购可再生能源电量”,并在处罚主体中增加地方政府能源管理部门。有的委员建议将罚款幅度由可再生能源发电企业经济损失的“一倍以下”改为“一倍以上两倍以下”。

四、关于可再生能源发展基金

草案第四条规定,电网企业收购可再生能源电量所发生的费用,高于按照常规能源发电平均上网电价计算所发生费用之间的差额,由在全国范围对销售电量征收可再生能源电价附加补偿。可再生能源电价附加列入可再生能源发展基金管理。有的常委会组成人员提出,这次法律修改要解决的关键问题就是可再生能源和煤炭的发电差价由谁负担,并做到迅速支付。草案在这个问题上要有突破,要有可操作性。列入基金是个办法,但恐怕周期太长,影响收购企业和用户积极性。有的常委会组成人员建议,在补贴上网的同时,应该积极探索和鼓励就地应用,凡可核实的替代应用也可以享受政策优惠。有的委员建议将这一条修改为:可再生能源上网实行同网同价。国家对于可再生能源上网电量实行减税或退税的政策。减税或者退税的部分在可再生能源发展基金里列支。

草案第五条规定,国家设立政府基金性质的可再生能源发展基金,其来源包括国家财政年度安排专项资金和征收的可再生能源电价附加等,并对基金的用途、管理办法作了规定。有的委员提出,可再生能源发展基金怎么搞是国务院及财政部的事情,法律仅规定国家建立基金就可以了,其他具体内容可不作规定。有的委员提出,有关可再生能源发展基金的规定前后逻辑顺序有问题,建议研究。有的委员建议删去基金用途第一项中

“可再生能源开发利用和并网的科学技术研究、标准制定、检测认证”中的“和并网”三字;有的委员建议删去“检测认证”。有的委员提出,基金用途中第七项关于电网企业接网费用不能通过销售电价回收的,可以申请基金补助的规定,属于程序性内容,和前面几项不匹配,建议单独列一款。有的委员建议明确:可再生能源发展基金的管理办法由国务院财政部门会同国务院能源、价格等主管部门制定,报国务院批准后执行。

社会公众对可再生能源法修正案草案的意见

2009 年 8 月 28 日，全国人大常委会通过中国人大网公布可再生能源法修正案草案，征求社会公众的意见。截至 9 月 30 日，共收到 79 位网民提出的 254 条意见（另收到 9 封来信）。现将主要意见简报如下：

一、关于可再生能源开发利用规划

1. 草案第一条中规定，国务院能源主管部门会同国务院有关部门，根据全国可再生能源开发利用中长期总量目标、能源发展战略和可再生能源技术发展状况，编制全国可再生能源开发利用规划。同时对编制省、自治区、直辖市可再生能源开发利用实施规划作了规定。有的提出，全国可再生能源开发利用“中长期总量目标”应是全国可再生能源开发利用规划的内容，而不是编制规划的依据。有的提出，对编制市、县可再生能源开发利用规划也应提出要求。

2. 草案第二条对可再生能源开发利用规划的编制原则及规划编制的公众参与作了规定。

有的建议，将可再生能源开发利用规划编制原则中的“统筹兼顾、合理布局、有序发展”修改为“多能互补、综合利用、讲求实效”；有的建议将“有序发展”改为“环境友好型发展”。有的建议增加“保护环境”的原则。有的建议，明确根据不同地区的资源状况编制可再生能源开发利用规划。有的意见提出，目前可再生能源发电上网受电网建设的影响较大，建议增加可再生能源开发利用规划应与电网建设规划相结合。有的意见提出，草案规定规划编制坚持“因地制宜、统筹兼顾、合理布局、有序发展”的原则过于宽泛，不具针对性和指导规范作用，法律可以不作规定。

有的意见提出，草案规定规划编制机关广泛听取专家和公众的意见中的“广泛听取”不是法律语言。有的建议，在规划编制的公众参与中增加听取有关行业协会、单位的意见。

二、关于可再生能源发电全额保障性收购制度

1. 草案第三条中规定：国家实行可再生能源发电“全额保障性收购制度”；国务院能源主管部门会同国家电力监管机构和国务院财政部门，制定全国可再生能源发电量的“年度收购指标”和“实施计划”，确定并公布对电网企业应达到的全额保障性收购可再生能源发电量的“最低限额指标”；电网企业应当依据最低限额指标，与可再生能源发电企业签订并网协议，收购其不低于最低限额指标的上网电量。

有的意见提出，各类可再生能源的情况有很大不同，建议针对不同类别的可再生能源制定全国可再生能源发电量的“年度收购指标和实施计划”“最低限额指标”，避免只注重风能而忽

略其他可再生能源。

有些意见提出，草案这一条中的“全额保障性收购”与按“最低限额指标”收购有矛盾，如给某电网企业年度收购可再生能源发电量规定了一个“最低限额指标”，其电网范围内可再生能源发电企业的年度实际生产能力可能超过“最低限额指标”，那么对超出指标部分就无法做到“全额保障性收购”。有些意见提出，可再生能源发电具有随机性、间歇性，实践中政府有关部门很难制定出既科学合理，又切实可行的“年度收购指标和实施计划”、“最低限额指标”。建议对“年度收购指标和实施计划”、“最低限额指标”不作规定。有的提出，可再生能源法实施三年来，存在的可再生能源发电项目配套电网建设跟不上、重复建设等问题是经济发展中的问题，不是法律制度本身问题，需要通过逐步加强规划指导与审批管理、健全政策扶持与市场机制、制定相关配套规定等加以解决。有的意见提出，现行可再生能源法规定的“全额收购”制度是基本可行的。目前对“全额收购”制度有些误解，法律上的“全额收购”制度并不是泛泛地讲“发多少电收多少电”，而是有保障条件的，电网公司对在其电网覆盖范围内并符合并网运行技术标准的可再生能源发电，应当允许上网并“全额收购”。可再生能源发电并网和“全额收购”作为可再生能源法的基本制度，应当坚持。

有些意见建议将这一条第四款中电网企业应当“加强电网规划和建设”改为“加强对可再生能源发电接入网架的规划的建设”。有的意见提出，因可再生能源电力接入电网的投资较大，电网企业的积极性不大，影响可再生能源发电上网，建议明确电网建设的责任。有的建议，对电网企业的接网时限作出规定。

有的建议,增加电网企业优化电源点布局,增强电网的调峰、贮能能力,完善电网调度、运行和管理等内容。

2. 草案第六条规定,电网企业未完成收购可再生能源电量的最低限额指标的,由国家电力监管机构责令限期改正;造成可再生能源发电企业经济损失的,应当承担赔偿责任;拒不改正的,处可再生能源发电企业经济损失额一倍以下的罚款。

有的建议,明确只有"在电网系统和直流负荷生产允许的情况下",电网企业未完成收购可再生能源电量的最低限额指标的,才给予处罚。有的建议将罚款幅度改为"二倍以上五倍以下"。有的意见提出,草案这一规定的罚款处罚过重。

三、关于可再生能源发展基金

草案第四条规定,电网企业收购可再生能源电量所发生的费用,高于按照常规能源发电平均上网电价计算所发生费用之间的差额,由在全国范围对销售电量征收可再生能源电价附加补偿。第五条对国家设立可再生能源发展基金,可再生能源电价附加列入基金管理、基金用途作了规定。

有的提出,以基金形式对可再生能源发电进行补贴主要是采取固定补贴的方式,应将可再生能源电价附加与电价剥离,可再生能源电价附加作为财政补贴部分与电价实行不同的管理。有些意见建议,对可再生能源电价附加的征收、调整进行听证和论证。

有些意见提出,草案第五条基金用途的第一项中规定的可再生能源"并网"技术的内容,已包含在可再生能源开发利用科研中,建议删去"并网"二字。

地方和中央有关部门对可再生能源法修正案草案的意见

常委会第十次会议对可再生能源法修正案草案初次审议后，法工委将草案印发各省、自治区、直辖市和中央有关部门、部分企业和研究机构、高等院校、议案领衔代表征求意见。现将主要意见简报如下：

一、关于可再生能源开发利用规划

1. 草案第一条第一款中规定，国务院能源主管部门会同国务院有关部门，根据全国可再生能源开发利用中长期总量目标、能源发展战略和可再生能源技术发展状况，编制全国可再生能源开发利用规划。有的部门提出，我国目前还没有正式公布的“能源发展战略”，法律上不宜将其作为编制可再生能源开发利用规划的依据。有的地方建议将“全国可再生能源开发利用规划”改为“全国可再生能源发展规划”。有的地方和企业提出，可再生能源发展规划应与电力等能源发展规划相衔接，建议在编制可再生能源开发利用规划的依据中增加“能源中长期发展规划”；有的部门建议增加“全国矿产资源规划”。有的单位建议增加,全国可再生能源开发利用规划与全国电力发展规划相协调。

草案第一条第三款规定,省、自治区、直辖市政府管理能源工作的部门会同同级有关部门,依据全国可再生能源开发利用规划、本行政区域可再生能源开发利用中长期目标,编制本行政区域可再生能源开发利用实施规划,经批准后,报国务院能源主管部门和国家电力监管机构备案。有的地方提出,可再生能源开发利用规划中已含有实施的内容,没必要再编制"实施规划";有的地方建议将"实施规划"改为"实施方案"。有的地方和部门提出,可再生能源开发利用规划不仅限于电力,建议将报送备案的"国家电力监管机构"改为"国务院有关部门";有的地方建议删去"国家电力监管机构"。

2. 草案第二条对可再生能源开发利用规划的编制原则及公众参与作了规定。有的企业提出,目前电网规划和建设滞后于电源建设,影响可再生能源发电并网,建议增加电网建设与电源建设规划相协调的原则。有些地方、部门和单位建议,在可再生能源开发利用规划编制过程中增加听取有关组织和单位的意见。

二、关于可再生能源发电全额保障性收购制度

1. 草案第三条中规定:国家实行可再生能源发电"全额保障性收购制度"。国务院能源主管部门会同国家电力监管机构和国务院财政部门制定全国可再生能源发电量的"年度收购指标和实施计划",确定并公布对电网企业应达到的全额保障性收购可再生能源发电量的"最低限额指标"。国家电力监管机构负责

监管最低限额指标的实施。

有些地方、部门和单位提出，草案这一条对现行可再生能源法第十四条有关“全额收购”的规定作了修改。但是，这一条规定的“全额保障性收购”是何含义？它与现行的“全额收购”有何区别？草案新增加的“年度收购指标”和“最低限额指标”依据什么原则标准测算、确定？又与“全额保障性收购”是什么关系，这些都不清楚，需要再作进一步研究。

有些地方、部门和单位提出，现行“全额收购”制度确定的电网企业对在其电网覆盖范围内符合并网技术标准的可再生能源并网发电项目的上网电量予以全部收购的法律制度，是切实可行的，应当坚持。草案规定的“年度收购指标和实施计划”“最低限额指标”等约束性指标、计划，尚无实践基础，且不同类型和不同地区的可再生能源差异很大，难以科学、合理地制定，保障和促进“全额收购”的有关责任也难以落实。有的企业提出，草案将现行的“全额收购”改为“全额保障性收购”，背离了可再生能源法的立法宗旨，削弱了对可再生能源发电企业的保障。立法中需要着力解决的是如何保障“全额收购”，而不是换个新概念。相对“全额”的重要性而言，“保障”仅仅是措施、技术问题，而不是法律问题。现行的“全额收购”制度不应削弱，而是应加强执行力度。一些地方、部门和单位提出，既然是“全额保障性收购”，就不应有“最低限额指标”的限制，二者存在矛盾。发电企业生产的可再生能源电量超过规定的“最低限额指标”时，电网企业是否有义务全额收购；反之，电网企业如何完成最低限额指标。用“最低限额指标”作为“全额保障性收购”的措施难以达到“全额收购”的目标，也不具可操作性，不利于可再生能源发展。有的部门提出，可再生能源发电量可预测性差，计划指标难以落实，建议删除对“年度收购指标和实施计划”“最低限额指标”的有关规定。

有的研究机构和企业提出，按照《可再生能源中长期发展规划》，国家对电网总发电量中的可再生能源发电量在一定的期限内有一个比例要求，建议参考上述内容对草案第三条的相关规定加以修改。有的部门建议改为“制定优先收购可再生能源电力的电网运行调度规划和电网在规定期限应达到的可再生能源发电量比例指标，在年度中督促和考核”。有的地方提出，我国目前是以省级电网为主来制定年度发电量和年度上网电量计划，建议由省级政府管理能源工作的部门依照全国可再生能源开发利用规划，制定本行政区域的“年度收购指标和实施计划”及“最低限额指标”。有的部门建议，在制定“年度收购指标和实施计划”“最低限额指标”的部门中增加国家发改委，并将负责“最低限额指标”实施的监管部门由“国家电力监管机构”改为国家发改委；有的地方建议改由制定“最低限额指标”的部门共同监管。有些地方、部门和单位提出，可再生能源发电具有随机性、间歇性的特点，对电网的安全稳定运行有一定的影响，为实施“全额保障性收购”制度，建议明确电网企业、可再生能源发电企业各自应当承担的责任。

2. 草案第三条中规定，电网企业应当加强电网规划和建设，发展和应用“智能电网”等先进技术。有的部门建议进一步明确：由国务院能源主管部门制定电网发展规划和可再生能源发电并网运行技术标准，电网企业应当根据国家相关规划，加强电网建设。有的部门和企业建议由电网企业负责接入系统工程建设。有些部门和企业提出,“智能电网”的含义不清楚,建议删去。

3. 草案第六条规定,电网企业未完成收购可再生能源电量的最低限额指标,造成可再生能源发电企业经济损失的,应承担赔偿责任;拒不改正的,处以可再生能源发电企业经济损失额一倍以下的罚款。有些地方和企业建议明确是“因电网企业的原因”未完成最低限额指标收购的才给予处罚。有的单位提出,电网企业承担的最低收购义务是电网覆盖区域内若干个可再生能源发电企业,是可以上网的全部电量,一个发电企业的经济损失无法计算。有的部门建议增加规定,电网企业未按规定建设可再生能源发电接入电网系统工程,造成可再生能源发电企业经济损失的,应当给予行政处罚。

三、关于可再生能源发电的上网电价和可再生能源发展基金

1. 草案第四条规定,电网企业收购可再生能源电量所发生的费用,高于按照常规能源发电平均上网电价计算所发生费用之间的差额,由在全国范围对销售电量征收可再生能源电价附加补偿。可再生能源电价附加列入可再生能源发展基金管理。

有的部门建议,在设立可再生能源发展基金的同时,应取消可再生能源电价附加制度和可再生能源上网电价审批制度,对可再生能源发电项目与其他能源发电项目实行同电同价,政府对可再生能源发电项目按其上网电量提供定额补贴。有的部门提出,可再生能源电价管理应与基金管理分开,基金补贴可再生能源发电,应与电价脱钩,按照基金管理的方式运作。

有的地方和企业建议将可再生能源电价附加作为政府性基金管理，电网企业按照常规能源发电平均上网电价支付购电成本，可再生能源高于常规能源发电平均上网电价的差额补贴及电网配套工程补贴由财政部门在可再生能源发展基金中列支，直接划拨至可再生能源发电企业和电网企业。有的部门和企业建议增加规定，“可再生能源电价附加征收标准由国务院价格主管部门确定”。

有的地方提出，将可再生能源电价附加列入可再生能源发展基金管理，程序繁琐，不但会缩短资金调配周期，还会增加资金征收和使用难度，不利于缓解电力企业资金压力。建议对现行可再生能源法第二十条电价费用分摊制度不作改动。

2. 草案第五条中规定，国家设立政府基金性质的可再生能源发展基金，其来源包括国家财政年度安排专项资金和可再生能源电价附加等，并对基金的用途、管理办法作了规定。

有的部门建议，将基金来源中的“征收的可再生能源电价附加”改为“在全国范围对销售电量价外从量计征的资金”；同时建议将基金用途中的第六项规定修改为“对可再生能源发电项目按其上网电量给予定额补贴”；将第七项规定中的电网企业不能通过销售电价回收的接网等相关费用改为电网企业不能通过销售电价回收的“差额费用”。有些地方和企业建议，将可再生能源接网费用及其他相关费用直接纳入发展基金支持范围。有的部门建议在基金的用途中增加发展生物质能源的原料基地建设；有的地方建议增加可再生能源建筑规模化应用；有的地方建议增加可再生能源设备的技术创新、核心技术开发；有的部门建议增加支持可再生能源发电的安全性评价工作。

有的部门建议将可再生能源发展基金的“管理办法”改为“征收使用管理办法”。有的部门建议,在基金管理办法的制定部门中增加国务院投资主管部门;有的部门和地方建议增加国家电力监管机构。

有的地方提出,可再生能源发展专项资金在鼓励项目开发建设中发挥着重要作用,建议对现行可再生能源法第二十四条有关可再生能源发展专项资金的规定不作改动。

中央有关部门和部分企业对可再生能源法修正案草案的意见

法律委、环资委和法工委于2009年9月8日联合召开座谈会,听取中央有关部门和部分发电企业、电网企业对可再生能源法修正案草案的意见。现将主要意见简报如下:

一、关于可再生能源开发利用规划

草案第一条中规定,国务院能源主管部门会同国务院有关部门,根据全国可再生能源开发利用中长期总量目标、能源发展战略和可再生能源技术发展状况,编制全国可再生能源开发利用规划。国务院法制办的同志提出,目前我国还没有正式公布的“能源发展战略”,法律中将其作为编制可再生能源开发利用规划的依据不妥,建议删去。国务院法制办和国家电网公司的同志提出,在编制可再生能源开发利用规划的依据中增加全国能源中长期发展规划。中国电力企业联合会的同志提出,应明确全国可再生能源开发利用规划要与全国电力发展规划相协调。

草案第二条对可再生能源开发利用规划的编制原则及公众

参与作了规定。南方电网公司和国电集团公司的同志提出，目前风电项目建设和配套的接入电网工程建设脱节，建议增加电网建设与电源建设统一规划的原则。中国电力企业联合会和大唐集团公司的同志建议增加规定，在可再生能源开发利用规划编制过程中应听取有关组织、企业的意见。

二、关于可再生能源发电全额保障性收购制度

1. 草案第三条中规定：国家实行可再生能源发电“全额保障性收购制度”。国务院能源主管部门会同国家电力监管机构和国务院财政部门制定全国可再生能源发电量的“年度收购指标”，确定并公布对电网企业应达到的全额保障性收购可再生能源发电量的“最低限额指标”。

一些部门和企业的同志认为，草案这一条对可再生能源发电实行“全额保障性收购”的规定，与该条中关于由政府有关部门确定电网企业收购可再生能源发电量“最低限额指标”的规定，相互矛盾。如果可再生能源发电量的“全额”与规定的收购电量“最低限额指标”不一致，是按“全额”收购，还是按“最低限额指标”收购？风能、太阳能等可再生能源的发电量受自然因素影响很大，一年内风力大小和太阳光照不同，发电量也不同，很难预先规定出符合实际的年度“指标”。要求由政府部门制定全国可再生能源发电量的“年度收购指标”、“最低限额指标”，实际中无法操作。这一条规定的政府有关部门的责任难以落实，电网企业的法定义务也会落空，还会影响法律的严肃性（国务院法制办、工信部、国家能源局、国家电监会、华能集团公司、大唐集团公司、国电集团公司、国家电网公司、南方电网公司）。国家

能源局和国家电监会的同志提出,草案规定要对每一电网企业都确定一个收购可再生能源发电量的最低限额指标,是绝对做不到的。而且电网企业在完成“最低限额指标”收购后,就可不再收购剩余的可再生能源发电量,也不符合促进可再生能源发展的原则。国家可再生能源发展规划中对电网企业收购可再生能源发电量占总电量的比例提出要求,但法律上不应作强制性规定。

一些部门和企业的同志提出,目前电网建设是制约我国可再生能源电力发展的主要因素,加上一些地方政府不顾客观条件,盲目批准5万千瓦以下的风电项目(按国务院有关规定,风电总装机容量5万千瓦以上的项目由国务院投资主管部门核准),风电项目与其配套接入的电网建设跟不上,影响可再生能源发电上网。据估算全国风电装机容量1/3上网不顺畅。但这些问题主要是经济技术发展、统筹规划、审批管理、配套制度的问题,需要在工作中总结经验加以解决,而不是法律制度本身的问题。因此,建议删去草案有关“年度收购指标”和“最低限额指标”的规定,维持现行可再生能源法第十四条的规定,保持“全额收购”制度的稳定性,规范和促进可再生能源发展。(国家能源局、国家电监会、华能集团公司、国电集团公司、大唐集团公司)

大唐集团公司的同志提出,草案这一条中关于发电企业有义务配合电网企业保障电网安全的规定,属于并网协议的内容,可以不作单独规定。国电集团公司的同志提出,这一规定可能会使电网企业以“保障电网安全”为由,限制收购可再生能源电力。国家电网公司的同志提出,草案的这一规定很有必要,在任何情况下都必须保证电网安全。建议进一步明确:在保证电网系统安全的基础上,收购满足技术条件规定的可再生能源并网发电项目的上网电量。国家电网公司和南方电网公司的同志建议增加规定,可再生能源发电企业应当落实保证电网安全运行的有关措施,如参与调峰调频。

国家发改委的同志建议,在草案这一条规定的制定全国可再生能源发电量的“年度收购指标”、“最低限额指标”的部门中增加国家发改委;并将对落实“最低限额指标”实施监管的部门由“国家电力监管机构”改为国家发改委。

2. 草案第三条中规定,电网企业应当发展和应用“智能电网”等先进技术。国家能源局、国家电监会和南方电网公司的同志提出,“智能电网”的含义不清楚,目前国际、国内有不同的认识和理解,法律上不宜使用这类词语,建议删去“智能电网”的表述。

3. 草案第六条对电网企业未完成收购可再生能源电量的“最低限额指标”规定了法律责任。南方电网公司的同志提出,因可再生能源发电量未达到收购的最低限额指标致使电网企业未完成最低限额指标的,处罚电网企业不公平。建议明确仅限于“因电网企业原因”未完成收购可再生能源发电量最低限额指标的,才对电网企业处罚。国家电网公司的同志建议明确,电网企业在具备条件时仍未完成“最低限额指标”收购的给予处罚。国电集团公司的同志建议,将这一条规定的按照可再生能源发电企业经济损失处以罚款的规定,改为按全额收购可再生能源发电量的金额处以罚款。国家电监会的同志建议规定,电网企业未按规定建设可再生能源发电接入电网系统工程,给可再生能源发电企业造成损失的,给予处罚。

三、关于可再生能源发电的上网电价和可再生能源发展基金

1.财政部的同志建议,取消现行的可再生能源电价附加制度和可再生能源上网电价审批制度,将草案第四条关于可再生能源上网电价高于常规能源上网电价的部分由“可再生能源电价附加补偿”的规定,修改为由“财政给予固定补贴”,并增加具体补贴标准由国务院财政、能源部门分档确定,适时调整的规定;将草案第五条规定的可再生能源发展基金来源中的“征收的可再生能源电价附加”,修改为“在全国范围对销售电量价外从量计征的资金”。修改的理由:一是电价附加需根据可再生能源发展实际情况设定和调整。而电价调整的影响因素很多,社会影响面宽,采用电价附加不利于科学发挥价格机制配置资源的基础性作用。而通过在价外对销售电量征收基金的方式筹集资金,有利于根据可再生能源发展及补贴需求等情况适时调整征收标准,规范初次分配和再分配关系。二是取消可再生能源电价附加,可再生能源发电与常规能源发电实行“同电同价”,有利于统一电价市场,政府利用可再生能源发展基金对可再生能源发电项目按其上网电量提供定额补贴,公平、灵活、透明,便于监督。国家能源局的同志认为,应当对现行可再生能源发电的上网电价形成机制进行改革,优先采用招标等市场竞争方式确定上网电价,对电网企业收购可再生能源发电的价格高于常规能源发电平均上网电价部分,由财政给予补贴,补贴标准由国务院有关部门确定并适时调整。补贴资金以及电网企业为收购可再

生能源电量支付的接网费用和其他费用，在征收的可再生能源电价附加中安排。国家发改委的同志提出，可再生能源发电上网电价的确定涉及情况复杂，现行可再生能源法的规定是适当的，不应修改；并建议明确“可再生能源电价附加的征收标准由国务院价格主管部门确定”。

2. 国家电监会的同志建议，在草案第五条第一款规定的可再生能源发展基金的用途中，增加可用于支持可再生能源发电的“安全性评价”；财政部的同志建议，将这一条第六项的规定修改为“对可再生能源发电项目按其上网电量给予定额补贴”。国家电网公司、南方电网公司的同志建议，将可再生能源发电的接网费用及其他费用列入可再生能源发展基金的使用范围。国电集团公司的同志提出，可再生能源电力接入电网的费用很大，基金不足以补偿，应规定接网费用由电网企业承担。华能集团公司的同志建议，增加用于支持“国家政策或特殊情况需要扶持的可再生能源项目”和“试验风场、海上风场、太阳能电场等可再生能源项目”。

财政部的同志建议，将草案第五条中规定的可再生能源发展基金的“管理办法”改为“征收使用管理办法”。国家发改委的同志建议，在可再生能源发展基金管理办法的制定部门中增加国务院投资主管部门；国家电监会的同志建议增加国家电力监管机构。

可再生能源法修正案草案
甘肃省调研情况简报

2009 年 9 月中旬，法律委和法工委组织调研组赴甘肃省，就可再生能源法修正案草案的有关问题进行调研，分别与省和酒泉市人大、政府的有关部门，部分发电企业、电网企业座谈，了解实际情况，听取对修正案草案的意见。简报如下：

一、甘肃省可再生能源发展的情况

甘肃省可再生能源资源丰富。水力资源理论蕴藏量 1813.4 万千瓦，技术可开发量 1200 多万千瓦；风能资源理论储量为 2.37 亿千瓦，技术可开发量 4000 万千瓦左右；年太阳总辐射量 4800～6400 兆焦/平方米，日照时数在 1700～3300 小时之间。近年来，随着可再生能源法及其配套法规、政策的出台，甘肃可再生能源特别是风能和太阳能资源的开发利用得到较快发展。

1. 风能资源利用情况

甘肃是全国风能资源最为丰富的省区之一，其中酒泉的风能约占全省风能资源的 85%。酒泉市的瓜州、玉门地区素有“世界风库”之称。据检测，酒泉区域年平均风速在 5.7 米/秒，年均有效风能密度大于200瓦/平方米，有效风速时数超过6000小时，风电机组利用小时数超过2200小时。1996年甘肃就在玉门建成省内第一个1200千瓦的示范性试验风电场。可再生能源法出台后，甘肃加大了风电开发力度，风电发展迅速。截止到2008年年底，全省共建成风电场8座（酒泉市6座，白银市2座），总装机容量60万千瓦，已占全省发电总装机容量近4%。为进一步加快风电产业发展，省委、省政府提出了“建设河西风电走廊，再造西部陆上三峡”的目标，编制了酒泉千万千瓦级风电基地规划。按照规划，全省2010年将建成风电装机516万千瓦，到2015年底再建成755万千瓦，累计达到1271万千瓦。2020年远期规划建成风电装机2000万千瓦。国家发改委已于2008年12月核准了酒泉千万千瓦级风电基地建设规划。核定的风电上网电价为0.54元/千瓦时。今年8月8日，酒泉千万千瓦级风电基地正式开工建设，目前已完成装机76万千瓦，预计年底将完成装机200万千瓦以上。

针对甘肃电网容量较小、输出能力相对落后的现状，为配合甘肃风电基地的建设，国家发改委于2007年10月批复了国家电网公司酒泉风电基地配套超高压电网建设规划，主网架为750千伏，通过兰州、西安与西北电网相连，配套电网为300千伏，连接各县市和各大风电场，预计2010年建成投入使用。800千伏直流输变电工程正在论证中，预计2015年建成。届时，酒泉风电基地电力输配能力将达到1200~1500万千瓦，基本能适应酒泉新能源基地电力输出的需要。

甘肃风电发展目前存在的主要问题：一是风电建设速度快，电网建设速度慢，电网建设滞后于发电项目建设。据测算，在750千伏电网建成前,现有的330千伏电网最多可接纳70万千瓦风电。而到2009年底,建成的风电装机就将达200万千瓦,在电网“十一五”、“十二五”目标网架建成之前,甘肃风电上网难的状况将会在一段时间内较为突出。目前酒泉已建成投产的70多万千瓦风电,上网电量只占设计上网电量的一半左右。二是调峰电源建设不适应风电快速发展的需要。由于风电具有随机性、间歇性的特点,为保证电网安全稳定运行,大规模风电上网须有火电、水电等常规能源发电“打捆”上网以调峰、调频。专家认为,风电和调峰电源的比例至少应为1∶1.5,即建设千万千瓦级的风电基地,理论上至少需要调峰电源1500万千瓦以上。而河西走廊目前公用火电装机规模仅200万千瓦(含自备电厂),调峰能力非常有限,迫切需要就近建设一定容量的调峰火电或水电机组。虽然甘肃已规划建设酒泉1360万千瓦的煤电基地,正在开展前期工作,但调峰电源的建设短时期内还跟不上风电快速发展的需要。

2. 太阳能资源利用情况

甘肃省目前对太阳能的开发利用主要有太阳灶、太阳能热水器、离网型太阳能发电等形式。截至2008年年底,已建成离网型太阳能光伏电站43座,总装机426千瓦;风光互补电站7座,总装机665千瓦;发放太阳能光伏户用系统6600多套,总规模250千瓦。由于太阳能光伏发电的技术要求和成本较高,还不具备大规模商业应用的条件,甘肃正在开展光伏并网发电示范工程建设,为制定光伏发电有关技术标准和上网电价积累经验。武威光伏并网发电科技示范项目一期500千瓦工程已建成。2008年,敦煌被国家发改委列为国家光伏发电示范项目试点,10兆瓦光伏并网发电示范工程已完成特许权招标,于2009

年8月28日正式开工建设,计划于2010年12月建成。

二、对可再生能源法修正案草案的主要意见

1.关于可再生能源发电全额保障性收购制度

省、市有关部门和企业对草案的意见,主要集中在草案第三条的规定上。

草案第三条对现行可再生能源法第十四条关于电网企业应当“全额收购”其电网覆盖范围内可再生能源并网发电项目的上网电量的规定作了修改,规定:国家实行可再生能源发电“全额保障性收购”制度。国务院能源主管部门会同国家电力监管机构和国务院财政部门制定全国可再生能源发电量的年度收购指标,确定并公布对电网企业应达到的收购可再生能源发电量的“最低限额指标”。

不少意见提出,对草案这一条的规定应再作研究,还是保留现行法律规定的对可再生能源发电量实行“全额收购”的制度为妥(省人大财经委、国家电监会兰州电监办、省电力投资集团公司、酒泉市政府、酒泉市发改委、酒泉市科技局、中材科技公司)。主要理由是:(1)这一条规定中的“全额保障性收购”与按“最低限额指标”收购,相互矛盾。如“全额”与“最低限额指标”不一致,是按“全额”还是按“最低限额指标”收购?(2)从实际情况看,现行可再生能源法规定的“全额收购”的制度,对促进可再生能源开发利用发挥了重大作用。实践中出现的问题,主要是可再生能源发电项目建设与电网建设还不衔接,影响了可再生能源发电的及时上网。这里既有规划制定还不够科学、合理,有些地方不顾电网建设客观上可能达到的进度争相上马小风电项

目，电网企业加快电网建设的积极性不够高等主观因素，也有受现有经济、技术等条件制约的客观因素。这些主要是在法律实施中出现并正在逐步得到解决的发展中的具体工作问题，不是法律制度上的问题。不能由于现阶段出现的电网建设没跟上，就马上修改法律“全额收购”的制度性规定，否则容易被误解为法律规定倒退。（3）实践经验证明，政府部门很难对企业规定出准确合理的指令性计划指标。如实行按最低限额指标收购的制度，两大电网企业可以各种理由要求政府部门尽可能将最低限额指标定得低一些，而政府部门对企业提出的这些理由是否合理并不都能作出准确判断。政府部门与电网企业讨价还价的结果，很可能是更多地接受了电网企业的要求。这反而不利于推动电网企业加快电网建设，以更多地收购可再生能源发电量。规定由政府部门对电网企业下达最低限额指标的做法，难以达到预期目的。（4）对现行法律规定的“全额收购”制度，不应作机械的、绝对化的理解。这一规定是对具备全额收购条件而拒不全额收购的行为而言的，监管机构在实际执行中也是这样掌握的。

也有意见提出，由于目前电网建设滞后，对可再生能源发电量实行全额收购的规定难以落实，可以规定实行按最低限额指标收购的办法，作为全额收购制度的过渡性措施。（省发改委、省电力公司、酒泉超高压输变电公司、敦煌光伏发电有限公司）

敦煌市政府建议，对太阳能热发电和光伏发电实行“全额保障性收购”制度，对风力发电实行“最低限额指标”收购制度。

2. 关于电网建设

草案第三条中规定，电网企业应当加强电网规划和建设，发展和应用智能电网等先进技术。国家电监会兰州电监办的同志提出,“智能电网”含义不清,国内外对其内涵和标准都有不同的认识和理解,不宜在法律中规定。省发改委的同志也建议对“智能电网”的提法再作研究。国家电监会兰州电监办的同志建议,将电网企业应当“加强电网规划和建设”的规定,修改为“依据国家可再生能源发展利用规划,加强可再生能源发电接入电网系统工程建设”,以加强针对性。

3. 关于可再生能源发电上网电价和可再生能源发展基金

草案第四条规定:电网企业按照规定的上网电价收购可再生能源电量所发生的费用,高于按照常规能源发电平均上网电价计算所发生的差额,由在全国范围内对销售电量征收的可再生能源电价附加补偿。可再生能源电价附加列入可再生能源发展基金管理。国家电监会兰州电监办的同志提出,目前可再生能源电价附加对电网企业收购可再生能源电量的差额费用补偿,存在调配工作量大、周期长、补贴资金不能及时到位、补贴缺口较大等问题。建议改革对可再生能源发电的补贴制度,完全按基金补贴方式运作,与电价附加脱钩。

草案第五条第一款对可再生能源发展基金的用途作了规定。酒泉市政府提出,电网建设需要的资金数额巨大,完全由电网企业承担有困难,也不合理,影响电网企业加快电网建设的积极性。建议在草案所列举的可再生能源发展基金用途中,增加可用于配套电网的建设;酒泉市发改委的同志建议增加“支持大规模可再生能源发电基地外输电网输配及储能技术研究”;酒泉市财政局的同志建议增加“支持可再生能源基地的培育和发展”。省电力公司和酒泉超高压输变电公司的同志建议,设立大型风电基地电网配套送出工程专项补贴基金。

附录四：

节能发电调度办法（试行）

（国务院办公厅 2007 年 8 月 2 日发布）

为提高电力工业能源使用效率，节约能源，减少环境污染，促进能源和电力结构调整，确保电力系统安全、高效运行，实现电力工业的可持续发展，依据《中华人民共和国电力法》、《电网调度管理条例》和《电力监管条例》，制定本办法。

一、基本原则和适用范围

（一）节能发电调度是指在保障电力可靠供应的前提下，按照节能、经济的原则，优先调度可再生发电资源，按机组能耗和污染物排放水平由低到高排序，依次调用化石类发电资源，最大限度地减少能源、资源消耗和污染物排放。

（二）基本原则。以确保电力系统安全稳定运行和连续供电为前提，以节能、环保为目标，通过对各类发电机组按能耗和污染物排放水平排序，以分省排序、区域内优化、区域间协调的方式，实施优化调度，并与电力市场建设工作相结合，充分发挥电力市场的作用，努力做到单位电能生产中能耗和污染物排放最少。

（三）适用范围。节能发电调度适用于所有并网运行的发电机组，上网电价暂按国家现行管理办法执行。对符合国家有关规定的外商直接投资企业的发电机组，可继续执行现有购电合同，合同期满后，执行本办法。

二、机组发电序位表的编制

（四）机组发电排序的序位表（以下简称排序表）是节能发电调度的主要依据。各省（区、市）的排序表由省级人民政府责成其发展改革委（经贸委）组织编制，并根据机组投产和实际运行情况及时调整。排序表的编制应公开、公平、公正，并对电力企业和社会公开，对存在重大分歧的可进行听证。

（五）各类发电机组按以下顺序确定序位：

1. 无调节能力的风能、太阳能、海洋能、水能等可再生能源发电机组；

2. 有调节能力的水能、生物质能、地热能等可再生能源发电机组和满足环保要求的垃圾发电机组；

3. 核能发电机组；

4. 按“以热定电”方式运行的燃煤热电联产机组，余热、余气、余压、煤矸石、洗中煤、煤层气等资源综合利用发电机组；

5. 天然气、煤气化发电机组；

6. 其他燃煤发电机组，包括未带热负荷的热电联产机组；

7. 燃油发电机组。

（六）同类型火力发电机组按照能耗水平由低到高排序，节能优先；能耗水平相同时，按照污染物排放水平由低到高排序。机组运行能耗水平近期暂依照设备制造厂商提供的机组能耗参数排序，逐步过渡到按照实测数值排序，对因环保和节水设施运行引起的煤耗实测数值增加要做适当调整。污染物排放水平以省级环保部门最新测定的数值为准。

三、机组发电组合方案的制定

（七）省级发展改革委（经贸委）认真组织开展年、季、月、日电力负荷需求预测及管理工作，并定期向相关部门及电网和发电企业发布预测信息；根据负荷预测和发电机组实际运行情况，制定本省（区、市）年、季、月发电机组发电组合的基础方案。

（八）各级电力调度机构应按照排序表和发电组合的基础方案，并根据电力日负荷预测和发电机组的实际发电能力、电网运行方式，综合考虑安全约束、机组启停损耗等各种因素，确定次日机组发电组合的方案。

（九）省级电力调度机构依据本省（区、市）排序表和各机组申报的可调发电能力，确定发电机组的启停机方式，形成满足本省（区、市）电力系统安全约束的机组次日发电组合方案，报所在区域电力调度机构。

（十）区域电力调度机构在各省（区、市）机组次日发电组合方案的基础上，依据本区域内各省（区、市）排序表、各机组申报的可调发电能力、跨省输电联络线的输送电能力和网损，进一步优化调整本区域内发电机组的启停机方式。即：进一步对各省（区、市）边际机组（被调用的最后一台机组）考虑网损因素后的供电煤耗率（简称边际供电煤耗率）进行比较，对边际供电煤耗率较高的省（区、市）依次调整安排停机，对边际供电煤耗率较低的省（区、市）依次调整安排启机，直至区域中各省（区、市）的边际供电煤耗率趋同，或跨省（区、市）输电联络线达到输送容量的极限。

（十一）国家电网公司和南方电网公司电力调度机构依据跨区域（省）输电联络线的输送电能力、网损以及发电机组排序结果，按照第十条的原则，协调所辖各区域（省）的发电机组启停机方式，形成各区域机组日发电组合方案，下发各区域（省）电力调度机构执行，并抄报有关省（区、市）发展改革委（经贸委）和区域电力监管机构。

四、机组负荷分配与安全校核

（十二）各级电力调度机构依照以下原则，对已经确定运行的发电机组合理分配发电负荷，编制日发电曲线。

1. 除水能外的可再生能源机组按发电企业申报的出力过程曲线安排发电负荷。

2. 无调节能力的水能发电机组按照“以水定电”的原则安排发电负荷。

3. 对承担综合利用任务的水电厂，在满足综合利用要求的前提下安排水电机组的发电负荷，并尽力提高水能利用率。对流域梯级水电厂，应积极开展水库优化调度和水库群的联合调度，合理运用水库蓄水。

4. 资源综合利用发电机组按照“以（资源）量定电”的原则安排发电负荷。

5. 核电机组除特殊情况外，按照其申报的出力过程曲线安排发电负荷。

6. 燃煤热电联产发电机组按照“以热定电”的原则安排发电负荷。超过供热所需的发电负荷部分，按冷凝式机组安排。

7. 火力发电机组按照供电煤耗等微增率的原则安排发电负荷。

（十三）各级电力调度机构应积极开展水火联合优化调度，充分发挥水电的调峰、调频等作用。

（十四）节能发电调度要坚持“安全第一”的原则。电力调度机构应依据《电力系统安全稳定导则》的要求，对节能发电调度各环节进行安全校核，相应调整开停机方式和发电负荷，保障电力系统安全稳定运行和连续可靠供电。

在电力系统异常或紧急情况下，值班调度员可根据实际情况对发电组合和负荷分配进行调整。电力系统异常或紧急情况消除后，电力调度机构应按照排序表逐步调整到新的机组发电组合。

五、机组检修、调峰、调频及备用容量安排

（十五）发电机组的检修由发电企业按照有关规程的规定和实际需要提出申请，经相应电力调度机构批准后执行。燃煤、燃气、燃油发电机组检修应充分利用年电力负荷低谷时期、丰水期进行。各级电力调度机构应依据负荷预测结果和排序表，在保证系统运行安全的前提下，综合各种因素，优化编制发电机组年、月检修计划；依据短期负荷预测结果，安排日设备检修工作。各类机组的检修安排信息要予以公布。

（十六）所有并网运行的发电机组均有义务按照调度指令参与电力系统的调频、调峰和备用。具体经济补偿办法由电监会会同发展改革委另行制定。

（十七）电网调峰首先安排具有调节能力的水电、燃气、燃油、抽水蓄能机组和燃煤发电机组，然后再视电力系统需要安排其他机组。必要时，可安排火电机组进行降出力深度调峰和启停调峰。

（十八）为保证电力系统安全稳定运行，各级电力调度机构应根据有关规定和安全校核的要求，安排备用容量。备用容量安排应以保证电网运行安全为前提，按照节能环保要求，统筹考虑，合理分布。

六、信息公开与监管

（十九）节能发电调度的全过程实行信息公开制度。各有关单位应按有关规定及时、准确、完整地向相应电力调度机构提供节能调度所需的信息，并对其所提供信息的准确性和完整性负责。

（二十）各级电力调度机构要严格按照本办法的规定实施发电调度，按照有关规定及时对全体发电企业和有关部门发布调度信息，定期向社会公布发电能耗和电网网损情况，自觉接受电力监管机构、省级发展改革委（经贸委）的监管和有关各方的监督。具体监管办法由电监会会同发展改革委另行制定。

（二十一）火力发电机组必须安装并实时运行烟气在线监测装置，并与省级环保部门、电力监管机构和省级电力调度机构联网；供热机组必须安装并实时运行热负荷实时监测装置，并与电力调度机构联网,接受实时动态监管。未按规定安装监测装置或监测装置不稳定运行的,不再列入发电调度范围。

（二十二）并网的发电厂应加强设备运行维护,提高设备运行的可靠性;要加强技术改造,降低能源消耗,减少污染物排放。

（二十三）火力发电机组煤耗的检测与认证工作,由发展改革委指定技术监督检测机构或行业协会负责。各机组污染物排放水平测定工作,由省级环保部门负责。

（二十四）发展改革委要会同有关部门按照本办法,制定节能发电调度实施细则,加强对节能发电调度执行情况的监管。

本办法由发展改革委会同环保总局、电监会、能源办负责解释。具体监督检查工作由区域电力监管机构、省级发展改革委（经贸委）和环保部门负责。

可再生能源中长期发展规划

（国家发展和改革委员会2007年8月31日发布）

能源是经济和社会发展的重要物质基础。工业革命以来，世界能源消费剧增，煤炭、石油、天然气等化石能源资源消耗迅速，生态环境不断恶化，特别是温室气体排放导致日益严峻的全球气候变化，人类社会的可持续发展受到严重威胁。目前，我国已成为世界能源生产和消费大国，但人均能源消费水平还很低。随着经济和社会的不断发展，我国能源需求将持续增长。增加能源供应、保障能源安全、保护生态环境、促进经济和社会的可持续发展，是我国经济和社会发展的一项重大战略任务。

可再生能源包括水能、生物质能、风能、太阳能、地热能和海洋能等，资源潜力大，环境污染低，可永续利用，是有利于人与自然和谐发展的重要能源。20世纪70年代以来，可持续发展思想逐步成为国际社会共识，可再生能源开发利用受到世界各国高度重视，许多国家将开发利用可再生能源作为能源战略的重要组成部分，提出了明确的可再生能源发展目标，制定了鼓励可再生能源发展的法律和政策，可再生能源得到迅速发展。

可再生能源是我国重要的能源资源，在满足能源需求、改善能源结构、减少环境污染、促进经济发展等方面已发挥了重要作用。但可再生能源消费占我国能源消费总量的比重还很低，技术进步缓慢，产业基础薄弱，不能适应可持续发展的需要。我国《国民经济和社会发展第十一个五年规划纲要》明确提出："实行优惠的财税、投资政策和强制性市场份额政策，鼓励生产与消费可再生能源，提高在一次能源消费中的比重。"为了加快可再生能源发展，促进节能减排，积极应对气候变化，更好地满足经济和社会可持续发展的需要，在总结我国可再生能源资源、技术及产业发展状况，借鉴国际可再生能源发展经验基础上，研究制定了《可再生能源中长期发展规划》，提出了从现在到 2020 年期间我国可再生能源发展的指导思想、主要任务、发展目标、重点领域和保障措施，以指导我国可再生能源发展和项目建设。

一、国际可再生能源发展状况

（一）发展现状

近年来，受石油价格上涨和全球气候变化的影响，可再生能源开发利用日益受到国际社会的重视，许多国家提出了明确的发展目标，制定了支持可再生能源发展的法规和政策，使可再生能源技术水平不断提高，产业规模逐渐扩大，成为促进能源多样化和实现可持续发展的重要能源。

1. 水电

水力发电是目前最成熟的可再生能源发电技术，在世界各地得到广泛应用。到 2005 年年底，全世界水电总装机容量约为 8.5 亿千瓦。

目前,经济发达国家水能资源已基本开发完毕,水电建设主要集中在发展中国家。

2. 生物质能

现代生物质能的发展方向是高效清洁利用,将生物质转换为优质能源,包括电力、燃气、液体燃料和固体成型燃料等。生物质发电包括农林生物质发电、垃圾发电和沼气发电等。到2005 年底,全世界生物质发电总装机容量约为 5000 万千瓦,主要集中在北欧和美国;生物燃料乙醇年产量约 3000 万吨,主要集中在巴西、美国;生物柴油年产量约 200 万吨,主要集中在德国。沼气已是成熟的生物质能利用技术,在欧洲、中国和印度等地已建设了大量沼气工程和分散的户用沼气池。

3. 风电

风电包括离网运行的小型风力发电机组和大型并网风力发电机组,技术已基本成熟。近年来,并网风电机组的单机容量不断增大,2005 年新增风电机组的平均单机容量超过 1000 千瓦,单机容量 4000 千瓦的风电机组已投入运行,风电场建设已从陆地向海上发展。到 2005 年底,全世界风电装机容量已达 6000万千瓦,最近 5 年来平均年增长率达 30%。随着风电的技术进步和应用规模的扩大,风电成本持续下降,经济性与常规能源已十分接近。

4. 太阳能

太阳能利用包括太阳能光伏发电、太阳能热发电,以及太阳能热水器和太阳房等热利用方式。光伏发电最初作为独立的分散电源使用,近年来并网光伏发电的发展速度加快,市场容量已超过独立使用的分散光伏电源。2005 年,全世界光伏电池产量为 120 万千瓦，累计已安装了 600 万千瓦。太阳能热发电已经历了较长时间的试验运行，基本上可达到商业运行要求，目前总装机容量约为 40 万千瓦。

太阳能热利用技术成熟，经济性好，可大规模应用，2005 年全世界太阳能热水器的总集热面积已达到约 1.4 亿平方米。

5. 地热能

地热能利用包括发电和热利用两种方式，技术均比较成熟。到 2005 年底，全世界地热发电总装机容量约 900 万千瓦，主要在美国、冰岛、意大利等国家。地热能热利用包括地热水的直接利用和地源热泵供热、制冷，在发达国家已得到广泛应用，近 5 年来全世界地热能热利用年均增长约 13%。

6. 海洋能

潮汐发电、波浪发电和洋流发电等海洋能的开发利用也取得了较大进展，初步形成规模的主要是潮汐发电，全世界潮汐发电总装机容量约 30 万千瓦。

（二）发展趋势

随着经济的发展和社会的进步，世界各国将会更加重视环境保护和全球气候变化问题，通过制定新的能源发展战略、法规和政策，进一步加快可再生能源的发展。

从目前可再生能源的资源状况和技术发展水平看，今后发展较快的可再生能源除水能外，主要是生物质能、风能和太阳能。生物质能利用方式包括发电、制气、供热和生产液体燃料，将成为应用最广泛的可再生能源技术。风力发电技术已基本成熟，经济性已接近常规能源，在今后相当长时间内将会保持较快发展。太阳能发展的主要方向是光伏发电和热利用，近期光伏发电的主要市场是发达国家的并网发电和发展中国家偏远地区的独立供电。太阳能热利用的发展方向是太阳能一体化建筑，并以常规能源为补充手段，实现全天候供热，提高太阳能供热的可靠性，在此基础上进一步向太阳能供暖和制冷的方向发展。

总体来看，最近20多年来，大多数可再生能源技术快速发展，产业规模、经济性和市场化程度逐年提高，预计在2010~2020年间，大多数可再生能源技术可具有市场竞争力，在2020年以后将会有更快的发展，并逐步成为主导能源。

（三）发展经验

多年来，世界各国为了促进可持续发展，应对全球气候变化，积极推动可再生能源发展，已积累了丰富的经验，主要是：

1. 目标引导

为了促进可再生能源发展，许多国家制定了相应的发展战略和规划，明确了可再生能源发展目标。1997年，欧盟提出可再生能源在一次能源消费中的比例将从1996年的6%提高到2010年的12%，可再生能源发电量占总发电量的比例从1997年的14%提高到2010年的22%。2007年初，欧盟又提出了新的发展目标，要求到2020年，可再生能源消费占到全部能源消费的20%，可再生能源发电量占到全部发电量的30%。美国、日本、澳大利亚、印度、巴西等国也制定了明确的可再生能源发展目标，引导可再生能源的发展。

2. 政策激励

为了确保可再生能源发展目标的实现，许多国家制定了支持可再生能源发展的法规和政策。德国、丹麦、法国、西班牙等国采取优惠的固定电价收购可再生能源发电量，英国、澳大利亚、日本等国实行可再生能源强制性市场配额政策，美国、巴西、印度等国对可再生能源实行投资补贴和税收优惠等政策。

3.产业扶持

为了促进可再生能源技术进步和产业化发展，许多国家十分重视可再生能源人才培养、研究开发、产业体系建设，建立了专门的研发机构，支持开展可再生能源科学研究、技术开发和产业服务等工作。发达国家不仅支持可再生能源技术研究和开发活动，而且特别重视新技术的试验、示范和推广，经过多年的发展，产业体系已经形成，有力地支持了可再生能源的发展。

4.资金支持

为了加快可再生能源的发展，许多国家为可再生能源发展提供了强有力的资金支持，对技术研发、项目建设、产品销售和最终用户提供补贴。美国2005年的能源法令明确规定了支持可再生能源技术研发及其产业化发展的年度财政预算资金。德国对用户安装太阳能热水器提供40%的补贴。许多国家还采取了产品补贴和用户补助方式扩大可再生能源市场，引导社会资金投向可再生能源，有力地推动了可再生能源的规模化发展。

二、我国可再生能源发展现状

(一)资源潜力

根据初步资源评价，我国资源潜力大、发展前景好的可再生能源主要包括水能、生物质能、风能和太阳能。

1.水能

水能资源是我国重要的可再生能源资源。根据2003年全国水力资源复查成果，全国水能资源技术可开发装机容量为5.4

亿千瓦,年发电量2.47万亿千瓦时;经济可开发装机容量为4亿千瓦,年发电量1.75万亿千瓦时。水能资源主要分布在西部地区,约70%在西南地区。长江、金沙江、雅砻江、大渡河、乌江、红水河、澜沧江、黄河和怒江等大江大河的干流水能资源丰富,总装机容量约占全国经济可开发量的60%,具有集中开发和规模外送的良好条件。

2. 生物质能

我国生物质能资源主要有农作物秸秆、树木枝桠、畜禽粪便、能源作物(植物)、工业有机废水、城市生活污水和垃圾等。全国农作物秸秆年产生量约6亿吨,除部分作为造纸原料和畜牧饲料外,大约3亿吨可作为燃料使用,折合约1.5亿吨标准煤。林木枝桠和林业废弃物年可获得量约9亿吨,大约3亿吨可作为能源利用,折合约2亿吨标准煤。甜高粱、小桐子、黄连木、油桐等能源作物(植物)可种植面积达2000多万公顷,可满足年产量约5000万吨生物液体燃料的原料需求。畜禽养殖和工业有机废水理论上可年产沼气约800亿立方米,全国城市生活垃圾年产生量约1.2亿吨。目前,我国生物质资源可转换为能源的潜力约5亿吨标准煤,今后随着造林面积的扩大和经济社会的发展,生物质资源转换为能源的潜力可达10亿吨标准煤。

3. 风能

根据最新风能资源评价,全国陆地可利用风能资源3亿千瓦,加上近岸海域可利用风能资源,共计约10亿千瓦。主要分布在两大风带:一是“三北地区”(东北、华北北部和西北地区);二是东部沿海陆地、岛屿及近岸海域。另外,内陆地区还有一些局部风能资源丰富区。

4. 太阳能

全国 2/3 的国土面积年日照小时数在 2200 小时以上，年太阳辐射总量大于每平方米 5000 兆焦，属于太阳能利用条件较好的地区。西藏、青海、新疆、甘肃、内蒙古、山西、陕西、河北、山东、辽宁、吉林、云南、广东、福建、海南等地区的太阳辐射能量较大，尤其是青藏高原地区太阳能资源最为丰富。

5. 地热能

据初步勘探，我国地热资源以中低温为主，适用于工业加热、建筑采暖、保健疗养和种植养殖等，资源遍布全国各地。适用于发电的高温地热资源较少，主要分布在藏南、川西、滇西地区，可装机潜力约为 600 万千瓦。初步估算，全国可采地热资源量约为 33 亿吨标准煤。

（二）发展现状

经过多年发展，我国可再生能源取得了很大的成绩，水电已成为电力工业的重要组成部分，结合农村能源和生态建设，户用沼气得到了大规模推广应用。近年来，风电、光伏发电、太阳能热利用和生物质能高效利用也取得了明显进展，为调整能源结构、保护环境、促进经济和社会发展做出了重大贡献。

2005 年，可再生能源开发利用总量（不包括传统方式利用生物质能）约 1.66 亿吨标准煤，约为 2005 年全国一次能源消费总量的 7.5%。

1. 水电

到 2005 年底，全国水电总装机容量达 1.17 亿千瓦（包括约 700 万千瓦抽水蓄能电站），占全国总发电装机容量的 23%，水电年发电量为3952亿千瓦时,占全国总发电量的16%。其中小水电为3800万千瓦,年发电量约1300亿千瓦时,担负着全国近1/2国土面积、1/3的县、1/4人口的供电任务。全国已建成653个农村水电初级电气化县,并正在建设400个适应小康水平的以小水电为主的电气化县。我国水电勘测、设计、施工、安装和设备制造均达到国际水平,已形成完备的产业体系。

2. 生物质能

(1)沼气。到2005年年底,全国户用沼气池已达到1800万户,年产沼气约70亿立方米;建成大型畜禽养殖场沼气工程和工业有机废水沼气工程约1500处,年产沼气约10亿立方米。沼气技术已从单纯的能源利用发展成废弃物处理和生物质多层次综合利用,并广泛地同养殖业、种植业相结合,成为发展绿色生态农业和巩固生态建设成果的一个重要途径。沼气工程的零部件已实现了标准化生产,沼气技术服务体系已比较完善。

(2)生物质发电。到2005年底,全国生物质发电装机容量约为200万千瓦,其中蔗渣发电约170万千瓦、垃圾发电约20万千瓦,其余为稻壳等农林废弃物气化发电和沼气发电等。在引进国外垃圾焚烧发电技术和设备的基础上,经过消化吸收,现已基本具备制造垃圾焚烧发电设备的能力。引进国外设备和技术建设了一些垃圾填埋气发电示范项目。但总体来看,我国在生物质发电的原料收集、净化处理、燃烧设备制造等方面与国际先进水平还有一定差距。

(3)生物液体燃料。我国已开始在交通燃料中使用燃料乙醇。以粮食为原料的燃料乙醇年生产能力为102万吨;以非粮原料生产燃料乙醇的技术已初步具备商业化发展条件。以餐饮业废油、榨油厂油渣、油料作物为原料的生物柴油生产能力达到年产5万吨。

3. 风电

到2005年底,全国已建成并网风电场60多个,总装机容量为126万千瓦。此外,在偏远地区还有约25万台小型独立运行的风力发电机(总容量约5万千瓦)。我国单机容量750千瓦及以下风电设备已批量生产,正在研制兆瓦级(1000千瓦)以上风力发电设备。与国际先进水平相比,国产风电机组单机容量较小,关键技术依赖进口,零部件的质量还有待提高。

4. 太阳能

(1)太阳能发电。到2005年底,全国光伏发电的总容量约为7万千瓦,主要为偏远地区居民供电。2002~2003年实施的"送电到乡"工程安装了光伏电池约1.9万千瓦,对光伏发电的应用和光伏电池制造起到了较大的推动作用。除利用光伏发电为偏远地区和特殊领域(通讯、导航和交通)供电外,已开始建设屋顶并网光伏发电示范项目。

光伏电池及组装厂已有十多家,年制造能力达10万千瓦以上。但总体来看,我国光伏发电产业的整体水平与发达国家尚有较大差距,特别是光伏电池生产所需的硅材料主要依靠进口,对我国光伏发电的产业发展形成重大制约。

(2)太阳能热水器。到2005年底,全国在用太阳能热水器的总集热面积达8000万平方米,年生产能力1500万平方米。全国有1000多家太阳能热水器生产企业,年总产值近120亿元,已形成较完整的产业体系,从业人数达20多万人。总体来看,我国太阳能热水器应用技术与发达国家还有差距。目前,发达国家的太阳能热水器已实现与建筑的较好结合,向太阳能建筑一体化方向发展,而我国在这方面才开始起步。

5. 地热能

地热发电技术分为地热水蒸汽发电和低沸点有机工质发电。我国适合发电的地热资源集中在西藏和云南地区,由于当地水能资源丰富,地热发电竞争力不强,近期难以大规模发展。近年来,地热能的热利用发展较快,主要是热水供应及供暖、水源热泵和地源热泵供热、制冷等。随着地下水资源保护的不断加强,地热水的直接利用将受到更多的限制,地源热泵将是未来的主要发展方向。

(三)存在问题

虽然我国可再生能源开发利用取得了很大成绩,法规和政策体系不断完善,但可再生能源发展仍不能满足可持续发展的需要,存在的主要问题是:

(1)政策及激励措施力度不够。在现有技术水平和政策环境下,除了水电和太阳能热水器有能力参与市场竞争外,大多数可再生能源开发利用成本高,再加上资源分散、规模小、生产不连续等特点,在现行市场规则下缺乏竞争力,需要政策扶持和激励。目前,国家支持风电、生物质能、太阳能等可再生能源发展的政策体系还不够完整,经济激励力度弱,相关政策之间缺乏协调,政策的稳定性差,没有形成支持可再生能源持续发展的长效机制。

(2)市场保障机制还不够完善。长期以来,我国可再生能源发展缺乏明确的发展目标,没有形成连续稳定的市场需求。虽然国家逐步加大了对可再生能源发展的支持力度,但由于没有建立起强制性的市场保障政策,无法形成稳定的市场需求,可再生能源发展缺少持续的市场拉动，致使我国可再生能源新技术发展缓慢。

(3)技术开发能力和产业体系薄弱。除水力发电、太阳能热利用和沼气外，其他可再生能源的技术水平较低，缺乏技术研发能力，设备制造能力弱，技术和设备生产较多依靠进口，技术水平和生产能力与国外先进水平差距较大。同时，可再生能源资源评价、技术标准、产品检测和认证等体系不完善，人才培养不能满足市场快速发展的要求，没有形成支撑可再生能源产业发展的技术服务体系。

三、发展可再生能源的意义

可再生能源是重要的能源资源，开发利用可再生能源具有以下重要意义：

1. 开发利用可再生能源是落实科学发展观、建设资源节约型社会、实现可持续发展的基本要求。充足、安全、清洁的能源供应是经济发展和社会进步的基本保障。我国人口众多，人均能源消费水平低，能源需求增长压力大，能源供应与经济发展的矛盾十分突出。从根本上解决我国的能源问题，不断满足经济和社会发展的需要，保护环境，实现可持续发展，除大力提高能源效率外，加快开发利用可再生能源是重要的战略选择，也是落实科学发展观、建设资源节约型社会的基本要求。

2. 开发利用可再生能源是保护环境、应对气候变化的重要措施。目前，我国环境污染问题突出，生态系统脆弱，大量开采和使用化石能源对环境影响很大，特别是我国能源消费结构中煤炭比例偏高，二氧化碳排放增长较快，对气候变化影响较大。

可再生能源清洁环保，开发利用过程不增加温室气体排放。开发利用可再生能源，对优化能源结构、保护环境、减排温室气体、应对气候变化具有十分重要的作用。

3. 开发利用可再生能源是建设社会主义新农村的重要措施。农村是目前我国经济和社会发展最薄弱的地区，能源基础设施落后，全国还有约 1150 万人没有电力供应，许多农村生活能源仍主要依靠秸秆、薪柴等生物质低效直接燃烧的传统利用方式提供。农村地区可再生能源资源丰富，加快可再生能源开发利用，一方面可以利用当地资源，因地制宜解决偏远地区电力供应和农村居民生活用能问题，另一方面可以将农村地区的生物质资源转换为商品能源，使可再生能源成为农村特色产业，有效延长农业产业链，提高农业效益，增加农民收入，改善农村环境，促进农村地区经济和社会的可持续发展。

4. 开发利用可再生能源是开拓新的经济增长领域、促进经济转型、扩大就业的重要选择。可再生能源资源分布广泛，各地区都具有一定的可再生能源开发利用条件。可再生能源的开发利用主要是利用当地自然资源和人力资源，对促进地区经济发展具有重要意义。同时，可再生能源也是高新技术和新兴产业，快速发展的可再生能源已成为一个新的经济增长点，可以有效拉动装备制造等相关产业的发展，对调整产业结构，促进经济增长方式转变，扩大就业，推进经济和社会的可持续发展意义重大。

四、指导思想和原则

（一）指导思想

以邓小平理论、“三个代表”重要思想为指导，全面落实科学发展观，促进资源节约型、环境友好型社会和社会主义新农村建设，认真贯彻《可再生能源法》，把发展可再生能源作为全面建设小康社会和实现可持续发展的重大战略举措，加快水能、风能、太阳能和生物质能的开发利用，促进技术进步，增强市场竞争力，不断提高可再生能源在能源消费中的比重。

（二）基本原则

1. 坚持开发利用与经济、社会和环境相协调。可再生能源的发展既要重视规模化开发利用，不断提高可再生能源在能源供应中的比重，也要重视可再生能源对解决农村能源问题、发展循环经济和建设资源节约型、环境友好型社会的作用，更要重视与环境和生态保护的协调。要根据资源条件和经济社会发展需要，在保护环境和生态系统的前提下，科学规划，因地制宜，合理布局，有序开发。特别是要高度重视生物质能开发与粮食和生态环境的关系，不得违法占用耕地，不得大量消耗粮食，不得破坏生态环境。

2. 坚持市场开发与产业发展互相促进。对资源潜力大、商业化发展前景好的风电和生物质发电等新兴可再生能源，在加大技术开发投入力度的同时，采取必要措施扩大市场需求，以持续稳定的市场需求为可再生能源产业的发展创造有利条件。建立以自我创新为主的可再生能源技术开发和产业发展体系，加快可再生能源技术进步，提高设备制造能力，并通过持续的规模化发展提高可再生能源的市场竞争力，为可再生能源的大规模发展奠定基础。

3. 坚持近期开发利用与长期技术储备相结合。积极发展未来具有巨大潜力、近期又有一定市场需求的可再生能源技术。

既要重视近期适宜应用的水电、生物质发电、沼气、生物质固体成型燃料、风电和太阳能热利用，也要重视未来发展前景良好的太阳能光伏发电、生物液体燃料等可再生能源技术。

4. 坚持政策激励与市场机制相结合。国家通过经济激励政策支持采用可再生能源技术解决农村能源短缺和无电问题，发展循环经济。同时，国家建立促进可再生能源发展的市场机制，运用市场化手段调动投资者的积极性，提高可再生能源的技术水平，推进可再生能源产业化发展，不断提高可再生能源的竞争力，使可再生能源在国家政策的支持下得到更大规模的发展。

五、发展目标

（一）总体目标

今后十五年我国可再生能源发展的总目标是：提高可再生能源在能源消费中的比重，解决偏远地区无电人口用电问题和农村生活燃料短缺问题，推行有机废弃物的能源化利用，推进可再生能源技术的产业化发展。

1. 提高可再生能源比重，促进能源结构调整。我国探明的石油、天然气资源贫乏，单纯依靠化石能源难以实现经济、社会和环境的协调发展。水电、生物质能、风电和太阳能资源潜力大，技术已经成熟或接近成熟，具有大规模开发利用的良好前景。加快发展水电、生物质能、风电和太阳能，大力推广太阳能和地热能在建筑中的规模化应用，降低煤炭在能源消费中的比重，是我国可再生能源发展的首要目标。

2. 解决无电人口的供电问题，改善农村生产、生活用能条件。无电人口地处偏远地区，人口分散，缺乏常规能源资源，而且许多地区不适合采用常规方式建设能源基础设施，采用可再生能源技术是解决这些无电人口供电问题的有效手段。农村人口众多，生活用能方式落后，影响农村居民生活水平的提高，特别是过度利用薪柴作为生活燃料对生态破坏严重。在农村就地利用可再生能源资源，可以实现多能互补，显著改善农村居民的生产、生活条件，对农村小康社会建设将起到积极的推动作用。

3. 清洁利用有机废弃物，推进循环经济发展。在农作物生产及粮食加工、林业生产和木材加工、畜禽养殖、工业生产、城市生活污水、垃圾处理等过程中，会产生大量有机废弃物。如果这些废弃物不能得到合理利用和妥善处理，将会成为环境污染源，对自然生态、大气环境和人体健康造成危害。利用可再生能源技术，将这些有机废弃物转换为电力、燃气、固体成型燃料等清洁能源，既是保护环境的重要措施，也是充分利用废弃物、变废为宝的重要手段，符合发展循环经济的要求。

4. 规模化建设带动可再生能源新技术的产业化发展。目前，除了水电、太阳能热利用、沼气等少数可再生能源技术，大部分可再生能源产业基础仍很薄弱，还不具备直接参与市场竞争的能力，因此，现阶段可再生能源发展的一项重要任务是提高技术水平和建立完善的产业体系。2010 年之前，在加快可再生能源技术发展，扩大可再生能源开发利用的同时，重点完善支持可再生能源发展的政策体系和机构能力建设，初步建立适应可再生能源规模化发展的产业基础。从 2010 年到 2020 年期间，要建立起完备的可再生能源产业体系，大幅降低可再生能源开发利用成本，为大规模开发利用打好基础。2020 年以后，要使可再生能源技术具有明显的市场竞争力，使可再生能源成为重要能源。

（二）具体发展目标

1. 充分利用水电、沼气、太阳能热利用和地热能等技术成熟、经济性好的可再生能源，加快推进风力发电、生物质发电、太阳能发电的产业化发展，逐步提高优质清洁可再生能源在能源结构中的比例，力争到2010年使可再生能源消费量达到能源消费总量的10%，到2020年达到15%。

2. 因地制宜利用可再生能源解决偏远地区无电人口的供电问题和农村生活燃料短缺问题，并使生态环境得到有效保护。按循环经济模式推行有机废弃物的能源化利用，基本消除有机废弃物造成的环境污染。

3. 积极推进可再生能源新技术的产业化发展，建立可再生能源技术创新体系，形成较完善的可再生能源产业体系。到2010年，基本实现以国内制造设备为主的装备能力。到2020年，形成以自有知识产权为主的国内可再生能源装备能力。

六、重点发展领域

根据各类可再生能源的资源潜力、技术状况和市场需求情况，2010年和2020年可再生能源发展重点领域如下：

（一）水电

考虑到资源分布特点、开发利用条件、经济发展水平和电力市场需求等因素，今后水电建设的重点是金沙江、雅砻江、大渡河、澜沧江、黄河上游和怒江等重点流域，同时，在水能资源丰富地区，结合农村电气化县建设和实施“小水电代燃料”工程需要，加快开发小水电资源。到2010年，全国水电装机容量达到1.9亿千瓦，其中大中型水电1.4亿千瓦，小水电5000万千瓦；到

2020 年,全国水电装机容量达到 3 亿千瓦,其中大中型水电 2.25 亿千瓦,小水电 7500 万千瓦。

开展西藏自治区东部水电外送方案研究,以及金沙江、澜沧江、怒江“三江”上游和雅鲁藏布江水能资源的勘查和开发利用规划,做好水电开发的战略接替准备工作。

(二)生物质能

根据我国经济社会发展需要和生物质能利用技术状况,重点发展生物质发电、沼气、生物质固体成型燃料和生物液体燃料。到 2010 年,生物质发电总装机容量达到 550 万千瓦,生物质固体成型燃料年利用量达到 100 万吨,沼气年利用量达到 190 亿立方米,增加非粮原料燃料乙醇年利用量 200 万吨,生物柴油年利用量达到 20 万吨。到 2020 年,生物质发电总装机容量达到 3000 万千瓦,生物质固体成型燃料年利用量达到 5000 万吨,沼气年利用量达到 440 亿立方米,生物燃料乙醇年利用量达到 1000 万吨,生物柴油年利用量达到 200 万吨。

1. 生物质发电

生物质发电包括农林生物质发电、垃圾发电和沼气发电,建设重点为:

(1)在粮食主产区建设以秸秆为燃料的生物质发电厂,或将已有燃煤小火电机组改造为燃用秸秆的生物质发电机组。在大中型农产品加工企业、部分林区和灌木集中分布区、木材加工厂,建设以稻壳、灌木林和木材加工剩余物为原料的生物质发电厂。在“十一五”前 3 年,建设农业生物质发电(主要以秸秆为燃料)和林业生物质发电示范项目各 20 万千瓦。到 2010 年,农林生物质发电(包括蔗渣发电)总装机容量达到 400 万千瓦,到

2020 年达到 2400 万千瓦。在宜林荒山、荒地、沙地开展能源林建设,为农林生物质发电提供燃料。

(2)在规模化畜禽养殖场、工业有机废水处理和城市污水处理厂建设沼气工程,合理配套安装沼气发电设施。在“十一五”前 3 年,建设 100 个沼气工程及发电示范项目,总装机容量 5 万千瓦。到 2010 年,建成规模化畜禽养殖场沼气工程 4700 座、工业有机废水沼气工程 1600 座,大中型沼气工程年产沼气约 40 亿立方米,沼气发电达到 100 万千瓦。到 2020 年,建成大型畜禽养殖场沼气工程 10,000 座、工业有机废水沼气工程 6000 座,年产沼气约 140 亿立方米,沼气发电达到 300 万千瓦。

(3)在经济较发达、土地资源稀缺地区建设垃圾焚烧发电厂,重点地区为直辖市、省级城市、沿海城市、旅游风景名胜城市、主要江河和湖泊附近城市。积极推广垃圾卫生填埋技术,在大中型垃圾填埋场建设沼气回收和发电装置。到 2010 年,垃圾发电总装机容量达到 50 万千瓦,到 2020 年达到 300 万千瓦。

2. 生物质固体成型燃料

生物质固体成型燃料是指通过专门设备将生物质压缩成型的燃料,储存、运输、使用方便,清洁环保,燃烧效率高,既可作为农村居民的炊事和取暖燃料,也可作为城市分散供热的燃料。生物质固体成型燃料的发展目标和建设重点为:

(1)2010 年前,结合解决农村基本能源需要和改变农村用能方式,开展 500 个生物质固体成型燃料应用示范点建设。在示范点建设生物质固体成型燃料加工厂,就近为当地农村居民提供燃料,富余量出售给城镇居民和工业用户。到 2010 年,全国生物质固体成型燃料年利用量达到 100 万吨。

(2)到2020年,使生物质固体成型燃料成为普遍使用的一种优质燃料。生物质固体成型燃料的生产包括两种方式:一种是分散方式,在广大农村地区采用分散的小型化加工方式,就近利用农作物秸秆,主要用于解决农民自身用能需要,剩余量作为商品燃料出售;另一种是集中方式,在有条件的地区,建设大型生物质固体成型燃料加工厂,实行规模化生产,为大工业用户或城乡居民提供生物质商品燃料。全国生物质固体成型燃料年利用量达到5000万吨。

3. 生物质燃气

充分利用沼气和农林废弃物气化技术提高农村地区生活用能的燃气比例,并把生物质气化技术作为解决农村废弃物和工业有机废弃物环境治理的重要措施。

在农村地区主要推广户用沼气、特别是与农业生产结合的沼气技术;在中小城镇发展以大型畜禽养殖场沼气工程和工业废水沼气工程为气源的集中供气。到2010年,约4000万户(约1.6亿人)农村居民生活燃料主要使用沼气,年沼气利用量约150亿立方米。到2020年,约8000万户(约3亿人)农村居民生活燃气主要使用沼气,年沼气利用量约300亿立方米。

4. 生物液体燃料

生物液体燃料是重要的石油替代产品,主要包括燃料乙醇和生物柴油。根据我国土地资源和农业生产的特点,合理选育和科学种植能源植物,建设规模化原料供应基地和大型生物液体燃料加工企业。不再增加以粮食为原料的燃料乙醇生产能力,合理利用非粮生物质原料生产燃料乙醇。近期重点发展以木薯、甘薯、甜高粱等为原料的燃料乙醇技术,以及以小桐子、黄连木、油桐、棉籽等油料作物为原料的生物柴油生产技术，逐步建立餐饮等行业的废油回收体系。从长远考虑，要积极发展以纤维素生物质为原料的生物液体燃料技术。在2010年前，重点在东北、山东等地，建设若干个以甜高粱为原料的燃料乙醇试点项目，在广西、重庆、四川等地，建设若干个以薯类作物为原料的燃料乙醇试点项目，在四川、贵州、云南、河北等地建设若干个以小桐子、黄连木、油桐等油料植物为原料的生物柴油试点项目。到2010年，增加非粮原料燃料乙醇年利用量200万吨，生物柴油年利用量达到20万吨。到2020年，生物燃料乙醇年利用量达到1000万吨，生物柴油年利用量达到200万吨，总计年替代约1000万吨成品油。

（三）风电

通过大规模的风电开发和建设，促进风电技术进步和产业发展，实现风电设备制造自主化，尽快使风电具有市场竞争力。在经济发达的沿海地区，发挥其经济优势，在“三北”（西北、华北北部和东北）地区发挥其资源优势，建设大型和特大型风电场，在其他地区，因地制宜地发展中小型风电场，充分利用各地的风能资源。主要发展目标和建设重点如下：

（1）到2010年，全国风电总装机容量达到500万千瓦。重点在东部沿海和“三北”地区，建设30个左右10万千瓦等级的大型风电项目，形成江苏、河北、内蒙古3个100万千瓦级的风电基地。建成1～2个10万千瓦级海上风电试点项目。

（2）到2020年，全国风电总装机容量达到3000万千瓦。在广东、福建、江苏、山东、河北、内蒙古、辽宁和吉林等具备规模化开发条件的地区，进行集中连片开发，建成若干个总装机容量

200 万千瓦以上的风电大省。建成新疆达坂城、甘肃玉门、苏沪沿海、内蒙古辉腾锡勒、河北张北和吉林白城等 6 个百万千瓦级大型风电基地,并建成 100 万千瓦海上风电。

(四)太阳能

1. 太阳能发电

发挥太阳能光伏发电适宜分散供电的优势,在偏远地区推广使用户用光伏发电系统或建设小型光伏电站,解决无电人口的供电问题。在城市的建筑物和公共设施配套安装太阳能光伏发电装置,扩大城市可再生能源的利用量,并为太阳能光伏发电提供必要的市场规模。为促进我国太阳能发电技术的发展,做好太阳能技术的战略储备,建设若干个太阳能光伏发电示范电站和太阳能热发电示范电站。到 2010 年,太阳能发电总容量达到 30 万千瓦,到 2020 年达到 180 万千瓦。

建设重点如下:

(1)采用户用光伏发电系统或建设小型光伏电站,解决偏远地区无电村和无电户的供电问题,重点地区是西藏、青海、内蒙古、新疆、宁夏、甘肃、云南等省(区、市)。建设太阳能光伏发电约 10 万千瓦,解决约 100 万户偏远地区农牧民生活用电问题。到 2010 年,偏远农村地区光伏发电总容量达到 15 万千瓦,到 2020 年达到 30 万千瓦。

(2)在经济较发达、现代化水平较高的大中城市,建设与建筑物一体化的屋顶太阳能并网光伏发电设施,首先在公益性建筑物上应用,然后逐渐推广到其他建筑物,同时在道路、公园、车站等公共设施照明中推广使用光伏电源。“十一五”时期,重点在北京、上海、江苏、广东、山东等地区开展城市建筑屋顶光伏发电试点。到 2010 年,全国建成 1000 个屋顶光伏发电项目,总容量 5 万千瓦。到 2020 年,全国建成 2 万个屋顶光伏发电项目,总容量 100 万千瓦。

(3)建设较大规模的太阳能光伏电站和太阳能热发电电站。“十一五”时期,在甘肃敦煌和西藏拉萨(或阿里)建设大型并网型太阳能光伏电站示范项目;在内蒙古、甘肃、新疆等地选择荒漠、戈壁、荒滩等空闲土地,建设太阳能热发电示范项目。到 2010 年,建成大型并网光伏电站总容量 2 万千瓦、太阳能热发电总容量 5 万千瓦。到 2020 年,全国太阳能光伏电站总容量达到 20 万千瓦,太阳能热发电总容量达到 20 万千瓦。

另外,光伏发电在通讯、气象、长距离管线、铁路、公路等领域有良好的应用前景,预计到 2010 年,这些商业领域的光伏应用将累计达到 3 万千瓦,到 2020 年将达到 10 万千瓦。

2. 太阳能热利用

在城市推广普及太阳能一体化建筑、太阳能集中供热水工程,并建设太阳能采暖和制冷示范工程。在农村和小城镇推广户用太阳能热水器、太阳房和太阳灶。到 2010 年,全国太阳能热水器总集热面积达到 1.5 亿平方米,加上其他太阳能热利用,年替代能源量达到 3000 万吨标准煤。到 2020 年,全国太阳能热水器总集热面积达到约 3 亿平方米,加上其他太阳能热利用,年替代能源量达到 6000 万吨标准煤。

(五)其他可再生能源

积极推进地热能和海洋能的开发利用。合理利用地热资源,推广满足环境保护和水资源保护要求的地热供暖、供热水和地源热泵技术,在夏热冬冷地区大力发展地源热泵,满足冬季供热需要。在具有高温地热资源的地区发展地热发电,研究开发深层地热发电技术。在长江流域和沿海地区发展地表水、地下水、土壤等浅层地热能进行建筑采暖、空调和生活热水供应。到2010 年,地热能年利用量达到400 万吨标准煤,到2020 年,地热能年利用量达到 1200 万吨标准煤。到 2020 年,建成潮汐电站10 万千瓦。

(六)农村可再生能源利用

在农村地区开发利用可再生能源,解决广大农村居民生活用能问题,改善农村生产和生活条件,保护生态环境和巩固生态建设成果,有效提高农民收入,促进农村经济和社会更快发展。发展重点是:

(1)解决农村无电地区的用电问题。在电网延伸供电不经济的地区,发挥当地资源优势,利用小水电、太阳能光伏发电和风力发电等可再生能源技术,为农村无电人口提供基本电力供应。在小水电资源丰富地区,优先开发建设小水电站(包括微水电),为约 100 万户居民供电。在缺乏小水电资源的地区,因地制宜建设独立的小型太阳能光伏电站、风光互补电站,推广使用小风电、户用光伏发电、风光互补发电系统,为约 100 万户居民供电。

(2)改善农村生活用能条件。推广"小水电代燃料"、户用沼气、生物质固体成型燃料、太阳能热水器等可再生能源技术,为农村地区提供清洁的生活能源,改善农村生活条件,提高农民生活质量。到 2010 年,使用清洁可再生能源的农户普及率达到30% ,农村户用沼气达到 4000 万户,太阳能热水器使用量达到5000 万平方米。到2020 年,使用清洁可再生能源的农户普及率达到70%以上,农村户用沼气达到8000万户,太阳能热水器使用量达到1亿平方米。

(3)开展绿色能源示范县建设。在可再生能源资源丰富地区,坚持因地制宜,灵活多样的原则,充分利用各种可再生能源,积极推进绿色能源示范县建设。绿色能源县的可再生能源利用量在生活能源消费总量中要超过50%,各种生物质废弃物得到妥善处理和合理利用。

绿色能源示范县建设要与沼气利用、生物质固体成型燃料和太阳能利用相结合。到2010年,全国建成50个绿色能源示范县;到2020年,绿色能源县普及到500个。

七、投资估算与效益分析

(一)投资估算

要实现可再生能源发展目标,建设资金是必要的保障条件。根据各种可再生能源的应用领域、建设规模、技术特点和发展状况,采取国家投资和社会多元化投资相结合的方式解决可再生能源开发利用的建设资金问题。

从2006年到2020年,新增1.9亿千瓦水电装机,按平均每千瓦7000元测算,需要总投资约1.3万亿元;新增2800万千瓦生物质发电装机,按平均每千瓦7000元测算,需要总投资约2000亿元;新增约2900万千瓦风电装机,按平均每千瓦6500元测算,需要总投资约1900亿元;新增6200万户农村户用沼气,按户均投资3000元测算,需要总投资约1900亿元;新增太阳能发电约173万千瓦,按每千瓦75000元测算,需要总投资约1300亿元。加上大中型沼气工程、太阳能热水器、地热、生物液体燃料生产和生物质固体成型燃料等，预计实现2020年规划任务将需总投资约2万亿元。

（二）环境和社会影响

水力发电、风力发电、太阳能发电、太阳能热利用不排放污染物和温室气体，而且可显著减少煤炭消耗，也相应减少煤炭开采的生态破坏和燃煤发电的水资源消耗。可再生能源开发利用中的工业废水、城市污水和畜禽养殖场沼气工程本身就是清洁生产的重要措施，有利于环境保护和可持续发展。生物质发电排放的二氧化硫、氮氧化物和烟尘等污染物远少于燃煤发电，特别是生物质从生长到燃烧总体上对环境不增加二氧化碳排放量。因此，可再生能源开发利用可减少污染物和温室气体排放，并减少水资源消耗和生态破坏。

可再生能源开发过程对生态环境也可能产生不利影响，水电开发对所在流域的生态环境有一定影响，特别是会淹没部分土地，可能改变生物生存环境，造成泥沙淤积，施工过程对地貌和植被有一定影响。目前，水电施工技术和环保技术已可将不利影响减少到最小，许多水电工程建成后可有效改善生态环境。

风电建设要占用大面积的土地，旋转的风机叶片可能影响鸟类，在靠近居民区的地方可能产生噪音污染，目前大多数风电场是一种新的旅游景点，但随着风电建设规模的扩大，可能会出现一些环境问题，如噪音和影响自然景观等。生物质发电过程如果采取环保措施不当，将会排放灰尘等污染物，也要消耗水资源，需要采取严格的环保措施。

多数可再生能源技术新，应用范围广，涉及千家万户，要严格安全技术标准，普及安全常识，保障安全生产和安全使用。

可再生能源资源分布广泛，大型水电资源集中在地理位置较为偏僻的高山峡谷地区，大量的风能资源处于戈壁滩、大草原和沿海滩涂地区，太阳能资源在西部地区最为丰富，生物质能资源主要在农业大县和林区。这些地区的可再生能源开发利用可以起到促进地区经济发展、加快脱贫致富、实现均衡和谐发展的作用。可再生能源开发利用，特别是生物质能开发利用可以促进农村经济发展、增加农民收入，对解决“三农”问题十分有利。

总体来看，可再生能源开发利用对环境和社会的影响利大于弊，坚持趋利避害的开发利用方针，有利于实现可持续发展，符合建设资源节约型、环境友好型社会及构建和谐社会的要求。

（三）效益分析

1. 能源效益

到 2010 年和 2020 年，全国可再生能源开发利用量分别相当于 3 亿吨标准煤和 6 亿吨标准煤，可显著减少煤炭消耗，弥补天然气和石油资源的不足。初步估算，可再生能源达到 2020 年的利用量时，年发电量相当于替代煤炭约 6 亿吨，沼气年利用量相当于 240 亿立方米天然气，燃料乙醇和生物柴油年用量相当于替代石油约 1000 万吨，太阳能和地热能的热利用相当于降低能源年需求量约 7000 万吨标准煤。可再生能源的开发利用对改善能源结构和节约能源资源将起到重大作用。

2. 环境效益

可再生能源的开发利用将带来显著的环境效益。达到 2010 年发展目标时，可再生能源年利用量相当于减少二氧化硫年排放量约 400 万吨，减少氮氧化物年排放量约 150 万吨，减少烟尘年排放量约 200 万吨，减少二氧化碳年排放量约 6 亿吨，年节约用水约15亿立方米，可以使约1.5亿亩林地免遭破坏。达到2020年发展目标时，可再生能源年利用量相当于减少二氧化硫年排放量约800万吨，减少氮氧化物年排放量约300万吨，减少烟尘年排放量约400万吨，减少二氧化碳年排放量约12亿吨，年节约用水约20亿立方米，可使约3亿亩林地免遭破坏。

3. 社会效益

到2020年，将利用可再生能源累计解决无电地区约1000万人口的基本用电问题，改善约1亿户农村居民的生活用能条件。农作物秸秆和农业废弃生物质的能源利用可提高农业生产效益，预计达到2020年开发利用规模时，可增加农民年收入约1000亿元。农村户用沼气池和畜禽养殖场沼气工程建设将改善农村地区环境卫生，减少畜禽粪便对河流、水源和地下水的污染。可再生能源开发利用将促进农村和县域经济发展，提高农村能源供应等公用设施的现代化水平。

能源林建设、林业生物质及木材加工废弃物的能源利用可促进植树造林和生态环境保护，预计林业领域生物质能利用达到2020年目标时，可增加林业年产值约500亿元。城市生活污水处理和工业生产废水处理沼气利用可促进循环经济发展。可再生能源开发利用、设备制造和相关配套产业可增加大量就业岗位，到2020年，预计可再生能源领域的从业人数将达到200万人。

可再生能源的开发利用将节约和替代大量化石能源，显著减少污染物和温室气体排放，促进人与自然的协调发展，对全面建设小康社会和社会主义新农村起到重要作用，有力地推进经济和社会的可持续发展。

八、规划实施保障措施

为了确保规划目标的实现，将采取下列措施支持可再生能源的发展：

1. 提高全社会的认识。全社会都要从战略和全局高度认识可再生能源的重要作用，国务院各有关部门和各级政府都要认真执行《可再生能源法》，制定相关配套政策和规章，制定可再生能源发展专项规划，明确发展目标，将可再生能源开发利用作为建设资源节约型、环境友好型社会的考核指标。

2. 建立持续稳定的市场需求。根据可再生能源发展目标要求，按照政府引导、政策支持和市场推动相结合的原则，通过优惠的价格政策和强制性的市场份额政策，以及政府投资、政府特许权等措施，培育持续稳定增长的可再生能源市场，促进可再生能源的开发利用、技术进步和产业发展，确保可再生能源中长期发展规划目标的实现。对非水电可再生能源发电规定强制性市场份额目标：到 2010 年和 2020 年，大电网覆盖地区非水电可再生能源发电在电网总发电量中的比例分别达到 1% 和 3% 以上；权益发电装机总容量超过 500 万千瓦的投资者，所拥有的非水电可再生能源发电权益装机总容量应分别达到其权益发电装机总容量的 3% 和 8% 以上。

3. 改善市场环境条件。国家电网企业和石油销售企业要按照《可再生能源法》的要求，承担收购可再生能源电力和生物液体燃料的义务。国务院能源主管部门负责组织制定各类可再生能源电力的并网运行管理规定，电网企业要负责建设配套电力送出工程。电力调度机构要根据可再生能源发电的规律，合理安排电力生产及运行调度，使可再生能源资源得到充分利用。在国家指定的生物液体燃料销售区域内，所有经营交通燃料的石油销售企业均应销售掺入规定比例生物液体燃料的汽油或柴油产品，并尽快在全国推行乙醇汽油和生物柴油。国务院建筑行政主管部门和国家标准委组织制定建筑物太阳能利用的国家标准，修改完善相关建筑标准、工程规范和城市建设管理规定，为太阳能在建筑物上应用创造条件。在太阳能资源丰富、经济条件好的城镇，要在必要的政策条件下，强制扩大太阳能热利用技术的市场份额。

4. 制定电价和费用分摊政策。国务院价格主管部门根据各类可再生能源发电的技术特点和不同地区的情况，按照有利于可再生能源发展和经济合理的原则，制定和完善可再生能源发电项目的上网电价，并根据可再生能源开发利用技术的发展适时调整；实行招标的可再生能源发电项目的上网电价，按照招标确定的价格执行，并根据市场情况进行合理调整。电网企业收购可再生能源发电量所发生的费用，高于按照常规能源发电平均上网电价计算所发生费用之间的差额，附加在销售电价中在全社会分摊。

5. 加大财政投入和税收优惠力度。中央财政根据《可再生能源法》的要求，设立可再生能源发展专项资金，根据可再生能源发展需要和国家财力状况确定资金规模。各级地方财政也要按照《可再生能源法》的要求，结合本地区实际，安排必要的财政资金支持可再生能源发展。国家运用税收政策对水能、生物质能、风能、太阳能、地热能和海洋能等可再生能源的开发利用予以支持，对可再生能源技术研发、设备制造等给予适当的企业所得税优惠。

6. 加快技术进步及产业发展。整合现有可再生能源技术资源，完善技术和产业服务体系，加快人才培养，全面提高可再生能源技术创新能力和服务水平，促进可再生能源技术进步和产业发展。将可再生能源的科学研究、技术开发及产业化纳入国家各类科技发展规划，在高技术产业化和重大装备扶持项目中安排可再生能源专项，支持国内研究机构和企业在可再生能源核心技术方面提高创新能力，在引进国外先进技术基础上，加强消化吸收和再创造，尽快形成自主创新能力。力争到 2010 年基本形成可再生能源技术和产业体系，形成以国内制造设备为主的装备能力。到 2020 年，建立起完善的可再生能源技术和产业体系，形成以自有知识产权为主的可再生能源装备能力，满足可再生能源大规模开发利用的需要。

国家发展改革委关于印发《可再生能源产业发展指导目录》的通知

（2005 年 11 月 29 日）

各省、自治区、直辖市及计划单列市、新疆生产建设兵团发展改革委、经贸委（经委），国务院各部委、各直属机构，各计划单列企业集团：

为了促进我国可再生能源产业的发展，根据《中华人民共和国可再生能源法》的要求，我委编制了《可再生能源产业发展指导目录》（以下简称《目录》），现印发给你们，用以指导相关部门制定支持政策和措施，引导相关研究机构和企业的技术研发、项目示范和投资建设方向。

本《目录》涵盖风能、太阳能、生物质能、地热能、海洋能和水能等六个领域的 88 项可再生能源开发利用和系统设备/装备制造项目。其中部分产业已经成熟并基本实现商业化；有些产业、技术、产品、设备、装备虽然还处于项目示范或技术研发阶段，但符合可持续发展要求和能源产业发展方向，具有广阔的发展前景或在特殊领域具有重要应用价值。根据国内外市场需求变化和可再生能源产业技术发展的情况，我委将适时对《目录》进行调整和修订。

对于本《目录》中具备规模化推广利用的项目，国务院相关部门将制定和完善技术研发、项目示范、财政税收、产品价格、市场销售和进出口等方面的优惠政策。

请各地区、各有关部门、单位和企业认真分析国内外市场情况，根据实际情况，选择本《目录》内有可能形成比较优势的技术和项目，积极开展技术研发、项目示范和投资建设活动。

附件：

《可再生能源产业发展指导目录》

编号	项目	说明和技术指标	发展状况
一、风能			
风力发电			
1	离网型风力发电	用于为电网不能覆盖的居民供电，包括独立户用系统和集中村落电站两种发/供电形式。	基本商业化
2	并网型风力发电	用于为电网供电，包括陆地和近海并网风力发电，既可以单机并网发电，也可以由多台机组建成风电场并网发电。	陆地并网风力发电：商业化初期 近海并网风力发电：技术研发
设备/装备制造			
3	风能资源评估分析软件	用于对区域风能资源进行技术和经济性评估以正确地选择风电场场址，主要功能包括：测风数据的处理和统计分析、风况图的生成、风资源评估、风力发电机组和风电场年发电量测算等。	技术研发或引进

续表

编号	项目	说明和技术指标	发展状况
4	风电场设计和优化软件	用于进行风电场优化设计(即风力发电机组微观选址和排列方案的设计和优化),主要功能包括:确定风力发电机组尾流影响并调整风电机组之间的分布距离,对风电机组和风电场的噪声进行分析和预测,排除不符合技术、地质和环境要求的地段,对风力发电机组选址进行自动优化,对设计过程结果提供可视化界面,进行技术经济分析等。	技术研发
5	风电场集中和远程监控系统	用于集中和远程监控风电机组和风电场的运行,主要功能包括:通过运用现代信息和通讯技术,实时收集、分析并报告各风电场的风力状况和机组、风电场运行状况监测数据,自动或根据管理人员反馈的指令对风电机组和风电场运行进行效率优化和安全保障控制。	技术研发
6	风电场建设和维护专用装备	用于陆地和近海风电机组的运输、现场吊装和维护。	技术研发
7	离网型风力发电系统	用于独立户用系统和集中村落电站,包括风力独立发电和风光互补发电,保证系统安全、经济、连续可靠供电。	基本商业化
8	并网型风力发电机组	用于并网风力发电,包括陆地和近海风力发电机组。近海风电机组需适应海洋地质、水文条件和气候环境条件。	陆地风电机组:商业化初期 海上风电机组:技术研发

续表

编号	项目	说明和技术指标	发展状况
9	风力发电机组总体设计软件	用于对风力发电机组进行结构动力学建模与分析、极限载荷与疲劳载荷计算、风力发电机组动态性能仿真等整机设计工作。	技术研发或引进
10	风力机叶片	用于配套1000千瓦(含)以上的大型风力发电机组。	技术研发
11	风力机叶片设计软件	用于进行大容量风力机叶片的气动外形及施工工艺设计。	技术研发
12	风力机叶片材料	用于制造高强度轻质大容量叶片,包括玻璃纤维增强复合材料(GRP)和碳纤维增强塑料。	技术研发
13	风力机轮毂	用于配套1000千瓦(含)以上风力发电机组。	技术研发
14	风力机传动系统	用于配套1000千瓦(含)以上风力发电机组。	技术研发
15	风力机偏航系统	用于配套1000千瓦(含)以上风力发电机组。	技术研发
16	风力机制动系统/机械刹车	用于配套1000千瓦(含)以上风力发电机组。	技术研发
17	风力发电用发电机	用于配套1000千瓦(含)以上风力发电机组,包括双馈型发电机和永磁发电机。	商业化初期,技术研发(永磁型)

续表

编号	项目	说明和技术指标	发展状况
18	风电机组运行控制系统及变流器	用于配套1000千瓦(含)以上风力发电机组,包括:离网风力发电控制器;失速型风电机组控制器;变速恒频风电机组控制系统及变流器。	技术研发
19	风电机组安全保障系统	用于确保在出现极端的气候环境、系统故障和电网故障等紧急情况时的风电机组安全,同时记录机组的状态。	技术研发
20	风电机组电磁兼容、雷电冲击等检测装置	用于风电机组的电磁兼容性能和雷电冲击防护能力等性能的检测,以保证机组适应恶劣的自然环境。	技术研发
21	风电接入系统设计及电网稳定性分析软件	用于大型风电场接入系统设计和对电网稳定性进行评价。	技术研发
22	风电场发电量预测及电网调度匹配软件	用于实时监测和收集风电场各台风电机组运行状况及发电量,分析和预测风电场第2天及后一周的出力变化情况,为电网企业制定调度计划服务,促进大规模风电场的开发和运行。	技术开发
23	风电场平稳过渡及支持控制系统	用于大型风电场在接入电网事故条件下,自身平稳过渡并对电网提供支持	技术研发
二、太阳能			
太阳能发电和热利用			
24	离网型太阳能光伏发电	用于为电网不能覆盖地区的居民供电,包括独立户用系统和集中村落电站两种形式。	基本商业化

续表

编号	项目	说明和技术指标	发展状况
25	并网型太阳能光伏发电	用于为电网供电，包括建筑集成太阳能光伏发电。	技术研发、项目示范
26	太阳能光热发电	用于为电网供电或为电网不能覆盖地区的居民供电。包括塔式太阳能光热发电系统、槽式太阳能光热发电系统、盘式太阳能光热发电系统和点聚焦太阳能光热直接发电系统。	技术开发
27	工业用光伏电源	用于为分散的气象台站、地震台站、公路道班、广播电视、卫星地面站、水文观测、太阳能航标、公路铁路信号及太阳能阴极保护系统等提供电力。	商业化
28	太阳能照明系统	包括：太阳能路灯，庭院灯，草坪灯，太阳能广告牌，太阳能 LED 城市景观灯等。	商业化
29	太阳能交通工具	包括：太阳能汽车、太阳能电动自行车、太阳能游艇、太阳能飞船、太阳能充电站等。	技术研发、项目示范
30	太阳能光伏海水淡化系统	用于为缺乏淡水的偏远海岛居民提供淡水。	技术研发、项目示范
31	光伏水泵	用于为我国西部严重干旱和偏僻地区分散人口提供饮用水、为建设和改良草场以及沙漠植树造林提供用水。	商业化
32	太阳能户用热水器	用于为居民提供生活热水，包括平板式太阳热水器、真空管式太阳热水器等。	商业化

续表

编号	项目	说明和技术指标	发展状况
33	太阳能集中供热系统	用于为居民或工商业提供热水或供暖，包括太阳能集中供热水系统和太阳能集中采暖系统。	技术研发、推广应用
34	太阳能空调系统	用于(通过太阳能集热器和吸收式制冷机)实现热冷转换从而提供制冷和空调服务。	技术研发、示范项目
35	零能耗太阳能综合建筑	通过在建筑结构(屋顶和外墙)中集成太阳能集热器(实现太阳能采暖系统和空调系统)和太阳能光伏电池来满足建筑的所有能源需求。	技术研发
设备/装备制造			
36	离网型太阳能光伏发电系统	用于独立户用系统和集中村落电站。	商业化
37	并网型太阳能光伏发电系统	用于为电网供电，包括建筑集成太阳能光伏发电系统。	技术研发、项目示范
38	太阳能光热发电系统	包括：塔式太阳能光热发电系统、槽式太阳能光热发电系统、盘式太阳能光热发电系统和点聚焦太阳光热直接发电系统。	技术开发
39	晶硅太阳能电池	包括：单晶硅太阳能电池和多晶硅太阳能电池。	商业化、技术改进
40	薄膜太阳能电池	包括：多结非晶硅薄膜太阳能电池、多晶硅薄膜太阳能电池、化合物薄膜太阳能电池。	技术研发

续表

编号	项目	说明和技术指标	发展状况
41	其它新型太阳能电池	包括:柔性衬底太阳能电池、聚光太阳能电池、HIT 异质结太阳能电池、有机太阳能电池、纳米非晶硅太阳能电池、机械叠层太阳能电池、薄膜非晶硅/微晶硅叠层太阳能电池等。	技术研发
42	建筑用太阳电池组件	用于建筑集成太阳能光伏发电系统,包括:半透光型光伏组件,可以与建筑构件互换的光伏组件,光伏玻璃幕墙,光伏遮阳板等。	技术研发
43	太阳能电池及组件制造装备	用于制造太阳能电池及组件,包括:太阳级硅投炉料制造成套装备,多晶硅铸锭炉,多线切割机,剖锭机,硅片抛光设备,硅片清洗机,扩散设备,PECVD 镀膜设备,丝网印刷设备,烘干烧结设备,划片机,自动焊接机,组件层压机等等。	技术研发或引进
44	太阳能电池测试设备	包括:太阳能电池分选设备,太阳模拟仪,高压绝缘测试设备等。	技术研发
45	太阳能电池生产用辅助材料	包括:低铁钢化玻璃,EVA,太阳电池背面封装复合膜,银浆铝浆,焊带等。	技术研发
46	光伏发电系统用充放电控制器	用于智能化控制蓄电池充放电过程。	技术研发
47	光伏发电系统用直流/交流逆变器	用于包括离网型和并网型直流/交流逆变器,后者需具有并网逆变、最大功率跟踪、防孤岛效应保护等功能	技术研发
48	户用光伏和风/光互补控制/逆变一体机	用于配套容量在 1 千瓦以下的户用光伏、风/光互补发电系统。	技术研发

续表

编号	项目	说明和技术指标	发展状况
49	(专用)蓄电池	用于独立光伏发电和风力发电系统,应具有很强的耐过充过放性能,低的自放电率和长的使用寿命。	技术研发
50	氧化还原液流储能电池	用于独立光伏发电和风力发电系统;功率在几十到几百千瓦、储能达百兆瓦时。	技术开发、项目示范
51	光伏硅材料	用于生产太阳能电池用晶体硅。	技术开发或引进
52	光伏发电系统用集中和远程监控系统	用于采集、传输太阳辐射和环境参数及光伏发电系统的运行数据并实现集中或远程监控。	技术研发
53	太阳能光热发电用反射镜	用于配套各种太阳能光热发电系统。	技术研发
54	光热发电反射镜自动跟踪装置	用于配套各种太阳能光热发电系统,以自动跟踪太阳光辐射,调整反射镜角度,从而最大化获取太阳能。	技术研发
55	光热发电集能器	用于配套各种太阳能光热发电系统,以吸收来自反射镜的太阳辐射能,也称“太阳锅炉”,要求体积小,换能效率高。	技术研发
56	光热发电蓄热装置	用于配套各种太阳能光热发电系统,通过贮存集能器所吸收的热能以保证光热发电相对稳定。	技术研发
57	光热直接发电装置	用于配套太阳能光热直接发电系统,包括碱金属热电转换器、半导体发电器、热电子发电器和热光伏发电器。	技术研发

续表

编号	项目	说明和技术指标	发展状况
58	太阳能光热系统建筑应用设计、优化和测评软件	用于建筑上适用我国不同地区、不同光照条件下应用太阳能光热系统制冷、采暖的优化设计、模拟;对建筑中使用的太阳能光热系统进行检测和评价。	技术研发和推广应用
三、生物质能			
生物质发电和生物燃料生产			
59	大中型沼气工程供气和发电	包括大型畜禽场、养殖小区、工业有机废水和城市污水工程	商业化、推广应用
60	生物质直接燃烧发电	利用农作物秸秆、林木质直接燃烧发电	技术改进、项目示范
61	生物质气化供气和发电	利用农作物秸秆、林木质气化供气和发电	技术研发、推广应用
62	城市固体垃圾发电	用于清洁处理和能源化利用城市固体垃圾,包括燃烧发电和填埋场沼气发电。	基本商业化
63	生物液体燃料	利用非粮食作物和林木质生物质为原料生产液体燃料。	技术研发
64	生物质固化成型燃料	将农作物秸秆,林木质制成固体成型燃料代替煤炭。	项目示范
设备/部件制造和原料生产			
65	生物质直燃锅炉	用于配套生物质直接燃烧发电系统,技术性能和规格需适用于生物质的直接燃烧。	技术改进

续表

编号	项目	说明和技术指标	发展状况
66	生物质燃气内燃机	用于配套生物质气化发电,技术性能和规格需适用于生物质气化发电系统。	技术研发
67	生物质气化焦油催化裂解装置	用于将生物质在气化过程中所产生的焦油裂解为可利用的一次性气体。	技术研发
68	生物液体燃料生产成套装备	用于生产上述各类生物液体燃料	技术研发、项目示范
69	能源植物种植	用于为各种生物燃料生产提供非粮食生物质原料,包括甜高粱、木薯、麻疯树、甘蔗等。	项目示范、推广应用
70	能源植物选育	用于选育培养适合荒山荒滩、沙地、盐碱地种植、稳产高产、对生态环境安全无害的能源作物。	技术研发,项目示范
71	高效、宽温域沼气菌种选育	用于沼气工程提高产气率及沼气池在较低温度条件下的使用。	技术研发
四、地热能			
地热发电和热利用			
72	地热发电	包括:地热蒸汽发电系统、双循环地热发电系统和闪蒸地热发电系统(后两者适用于中低温地热资源)。	技术研发
73	地热供暖	包括单循环直接供暖和双循环间接供暖。	项目示范、推广应用

续表

编号	项目	说明和技术指标	发展状况
74	地源热泵供暖和/或空调	包括地下水源、河湖水源、海水源、污水源(包括城市污水、工业污水、医院污水)和土壤热泵系统。	项目示范
75	地下热能储存系统	储存包括太阳能、建筑物空调释冷量或释热量等在内的能量	技术研发
设备/装备制造			
76	地热井专用钻探设备	用于钻探地热井,需适应地热井特有的地质结构环境、高温和腐蚀性水文环境及成井工艺要求。	技术研发
77	地热井泵	用于配套地热供暖和地源热泵系统,需适应地热井特有的高温和腐蚀性。	技术研发
78	水源热泵机组	适应地下水或海水水质及温度	技术研发、项目示范
79	地热能系统设计、优化和测评软件	用于建筑上适用我国不同地区、不同类型地热能系统进行检测和评价	技术研发和推广应用
80	水的热源利用	利用水的温差对建筑物进行制冷和供热,包括利用地下水、城市污水处理厂处理水等水源。	项目示范、推广应用
五、海洋能			
海洋能发电			
81	海洋能发电	包括:潮汐发电、波浪能发电、海洋温差发电和海流能发电。	技术研发、项目示范

续表

编号	项目	说明和技术指标	发展状况
设备/装备制造			
82	海洋能发电成套装备	包括:波浪能发电成套装备、海洋温差发电成套装备、海流能发电成套装备。	技术研发
六、水能			
水力发电			
83	并网水电站	符合流域开发规划要求,满足环保要求的各种类型水电站。	商业化
84	离网小型水电站	用于就地开发、就近供电,解决边远地区用电和用能问题。	商业化
设备/装备制造			
85	水轮机型谱编制	用于水轮机的制造和选型,提高水轮机效率和质量,降低造价,规范设备市场。	技术研发
86	水电自动化技术	用于水电运行的自动化管理,提高运行水平,降低运行成本。	技术改进
87	大型高效水轮发电机组	用于提高水轮发电机组单机容量、运行水平和运行效率。	技术研发
88	小水电一体化技术	用于1000千瓦以下小型水电站,实现油、水、气等辅助设备系统的控制与主机一体化,以及调速、励磁、保护、测量等监控一体化,提高可靠性,降低设备造价。	技术改进

可再生能源发电有关管理规定

（国家发展和改革委员会2006年1月5日发布）

目　　录

第一章　总　　则

第一条　为了促进可再生能源发电产业的发展，依据《中华人民共和国可再生能源法》和《中华人民共和国电力法》，特制定本规定。

第二条　本规定所称的可再生能源发电包括：水力发电、风力发电、生物质发电（包括农林废弃物直接燃烧和气化发电、垃圾焚烧和垃圾填埋气发电、沼气发电）、太阳能发电、地热能发电以及海洋能发电等。

第三条 依照法律和国务院规定取得行政许可的可再生能源并网发电项目和电网尚未覆盖地区的可再生能源独立发电项目适用本规定。

第四条 可再生能源发电项目实行中央和地方分级管理。

国家发展和改革委员会负责全国可再生能源发电项目的规划、政策制定和需国家核准或审批项目的管理。省级人民政府能源主管部门负责本辖区内属地方权限范围内的可再生能源发电项目的管理工作。

可再生能源发电规划应纳入同级电力规划。

第二章 项目管理

第五条 可再生能源开发利用要坚持按规划建设的原则。可再生能源发电规划的制定要充分考虑资源特点、市场需求和生态环境保护等因素,要注重发挥资源优势和规模效益。项目建设要符合省级以上发展规划和建设布局的总体要求,做到合理有序开发。

第六条 主要河流上建设的水电项目和25万千瓦及以上水电项目,5万千瓦及以上风力发电项目,由国家发展和改革委员会核准或审批。其他项目由省级人民政府投资主管部门核准或审批,并报国家发展和改革委员会备案。需要国家政策和资金支持的生物质发电、地热能发电、海洋能发电和太阳能发电项目向国家发展和改革委员会申报。

第七条 可再生能源发电项目的上网电价,由国务院价格主管部门根据不同类型可再生能源发电的特点和不同地区的情况，按照有利于促进可再生能源开发利用和经济合理的原则确定，并根据可再生能源开发利用技术的发展适时调整和公布。

实行招标的可再生能源发电项目的上网电价，按照中标确定的价格执行；电网企业收购和销售非水电可再生能源电量增加的费用在全国范围内由电力用户分摊，具体办法另行制定。

第八条 国家发展和改革委员会负责制定可再生能源发电统计管理办法。省级人民政府能源主管部门负责可再生能源发电的统计管理和汇总，并于每年2月10日前上报国家发展和改革委员会。

第九条 国家电力监管委员会负责可再生能源发电企业的运营监管工作，协调发电企业和电网企业的关系，对可再生能源发电、上网和结算进行监管。

第三章 电网企业责任

第十条 省级（含）以上电网企业应根据省级（含）以上人民政府制定的可再生能源发电中长期规划，制定可再生能源发电配套电网设施建设规划，并纳入国家和省级电网发展规划，报省级人民政府与国家发展和改革委员会批准后实施。

第十一条 电网企业应当根据规划要求，积极开展电网设计和研究论证工作，根据可再生能源发电项目建设进度和需要，进行电网建设与改造，确保可再生能源发电全额上网。

第十二条 可再生能源并网发电项目的接入系统，由电网企业建设和管理。

对直接接入输电网的水力发电、风力发电、生物质发电等大中型可再生能源发电项目，其接入系统由电网企业投资，产权分界点为电站(场)升压站外第一杆(架)。

对直接接入配电网的太阳能发电、沼气发电等小型可再生能源发电项目,其接入系统原则上由电网企业投资建设。发电企业(个人)经与电网企业协商,也可以投资建设。

第十三条 电网企业负责对其所收购的可再生能源电量进行计量、统计,省级电网企业应于每年1月20日前汇总报送省级人民政府能源主管部门,并抄报国家发展和改革委员会。

第四章 发电企业责任

第十四条 发电企业应当积极投资建设可再生能源发电项目,并承担国家规定的可再生能源发电配额义务。发电配额指标及管理办法另行规定。

大型发电企业应当优先投资可再生能源发电项目。

第十五条 可再生能源发电项目建设、运行和管理应符合国家和电力行业的有关法律法规、技术标准和规程规范,注重节约用地,满足环保、安全等要求。

第十六条 发电企业应按国家可再生能源发电项目管理的有关规定,认真做好设计、用地、水资源、环保等有关前期准备工作,依法取得行政许可,未经许可不得擅自开工建设。

获得行政许可的项目,应在规定的期限内开工和建成发电。未经原项目许可部门同意,不得对项目进行转让、拍卖或变更投资方。

第十七条 可再生能源发电项目建设,应当严格执行国家基本建设项目管理的有关规定,落实环境保护、生态建设、水土保持等措施,加强施工管理,确保工程质量。

第十八条 发电企业应该安装合格的发电计量系统,并在每年的1月15日前将上年度的装机容量、发电量及上网电量上报省级人民政府能源主管部门。

第五章 附 则

第十九条 电网企业和发电企业发生争议,可以根据事由向国家发展和改革委员会或国家电力监管委员会申请调解,不接受调解的,可以通过民事诉讼裁处。

第二十条 不执行本规定造成企业和国家损失的,由国家发展和改革委员会或省级人民政府委托的审计事务所进行审查核定损失,按照核定的损失额赔偿损失。有关罚款办法另行制定。

第二十一条 本规定自发布之日起执行。

第二十二条 本规定由国家发展和改革委员会负责解释。

电网企业全额收购可再生能源电量监管办法

（国家电力监管委员会2007年7月25日发布）

目　　录

第一章　总　　则

第一条　为了促进可再生能源并网发电，规范电网企业全额收购可再生能源电量行为，根据《中华人民共和国可再生能源法》、《电力监管条例》和国家有关规定，制定本办法。

第二条　本办法所称可再生能源发电是指水力发电、风力发电、生物质发电、太阳能发电、海洋能发电和地热能发电。

前款所称生物质发电包括农林废弃物直接燃烧发电、农林废弃物气化发电、垃圾焚烧发电、垃圾填埋气发电、沼气发电。

第三条　国家电力监管委员会及其派出机构（以下简称电力监管机构）依照本办法对电网企业全额收购其电网覆盖范围内可再生能源并网发电项目上网电量的情况实施监管。

第四条　电力企业应当依照法律、行政法规和规章的有关规定，从事可再生能源电力的建设、生产和交易，并依法接受电力监管机构的监管。

电网企业全额收购其电网覆盖范围内可再生能源并网发电项目上网电量，可再生能源发电企业应当协助、配合。

第二章　监管职责

第五条　电力监管机构对电网企业建设可再生能源发电项目接入工程的情况实施监管。

省级以上电网企业应当制定可再生能源发电配套电网设施建设规划，经省级人民政府和国务院有关部门批准后，报电力监管机构备案。

电网企业应当按照规划建设或者改造可再生能源发电配套电网设施，按期完成可再生能源发电项目接入工程的建设、调试、验收和投入使用，保证可再生能源并网发电机组电力送出的必要网络条件。

第六条　电力监管机构对可再生能源发电机组与电网并网的情况实施监管。

可再生能源发电机组并网应当符合国家规定的可再生能源电力并网技术标准，并通过电力监管机构组织的并网安全性评价。

电网企业应当与可再生能源发电企业签订购售电合同和并网调度协议。国家电力监管委员会根据可再生能源发电的特点,制定并发布可再生能源发电的购售电合同和并网调度协议的示范文本。

第七条 电力监管机构对电网企业为可再生能源发电及时提供上网服务的情况实施监管。

第八条 电力监管机构对电力调度机构优先调度可再生能源发电的情况实施监管。

电力调度机构应当按照国家有关规定和保证可再生能源发电全额上网的要求,编制发电调度计划并组织实施。电力调度机构进行日计划方式安排和实时调度,除因不可抗力或者有危及电网安全稳定的情形外,不得限制可再生能源发电出力。本办法所称危及电网安全稳定的情形,由电力监管机构组织认定。

电力调度机构应当根据国家有关规定,制定符合可再生能源发电机组特性、保证可再生能源发电全额上网的具体操作规则,报电力监管机构备案。跨省跨区电力调度的具体操作规则,应当充分发挥跨流域调节和水火补偿错峰效益,跨省跨区实现可再生能源发电全额上网。

第九条 电力监管机构对可再生能源并网发电安全运行的情况实施监管。

电网企业应当加强输电设备和技术支持系统的维护,加强电力可靠性管理,保障设备安全,避免或者减少因设备原因导致可再生能源发电不能全额上网。

电网企业和可再生能源发电企业设备维护和保障设备安全的责任分界点,按照国家有关规定执行;国家有关规定未明确的，由双方协商确定。

第十条　电力监管机构对电网企业全额收购可再生能源发电上网电量的情况实施监管。

电网企业应当全额收购其电网覆盖范围内可再生能源并网发电项目的上网电量。因不可抗力或者有危及电网安全稳定的情形，可再生能源发电未能全额上网的，电网企业应当及时将未能全额上网的持续时间、估计电量、具体原因等书面通知可再生能源发电企业。电网企业应当将可再生能源发电未能全额上网的情况、原因、改进措施等报电力监管机构，电力监管机构应当监督电网企业落实改进措施。

第十一条　电力监管机构对可再生能源发电电费结算的情况实施监管。

电网企业应当严格按照国家核定的可再生能源发电上网电价、补贴标准和购售电合同，及时、足额结算电费和补贴。可再生能源发电机组上网电价、电费结算按照国家有关规定执行。

第十二条　电力监管机构对电力企业记载和保存可再生能源发电有关资料的情况实施监管。

电力企业应当真实、完整地记载和保存可再生能源发电的有关资料。

第三章　监 管 措 施

第十三条　省级电网企业和可再生能源发电企业应当于每月 20 日前向所在地电力监管机构报送上一月度可再生能源发电上网电量、上网电价和电费结算情况，省级电网企业应当同时报送可再生能源电价附加收支情况和配额交易情况。

电力监管机构按照有关规定整理、使用电力企业报送的信息。

第十四条 电网企业应当及时向可再生能源发电企业披露下列信息：

（一）可再生能源发电上网电量、电价；

（二）可再生能源发电未能全额上网的持续时间、估计电量、具体原因和电网企业的改进措施。

第十五条 电力监管机构对常规能源混合可再生能源发电项目的燃料比例进行检查、认定，常规能源混合可再生能源发电企业和燃料供应等相关企业应当予以配合。

常规能源混合可再生能源发电企业应当做好常规能源混合可再生能源发电相关数据的计量和统计工作。

第十六条 电力监管机构依法对电网企业、可再生能源发电企业、电力调度机构进行现场检查，被检查单位应当予以配合，提供与检查事项有关的文件、资料，并如实回答有关问题。

电力监管机构对电网企业、可再生能源发电企业、电力调度机构报送的统计数据和文件资料可以依法进行核查，对核查中发现的问题，应当责令限期改正。

第十七条 可再生能源发电机组与电网并网，并网双方达不成协议，影响可再生能源电力交易正常进行的，电力监管机构应当进行协调；经协调仍不能达成协议的，由电力监管机构按照有关规定予以裁决。

电网企业和可再生能源发电企业因履行合同发生争议，可以向电力监管机构申请调解。

第十八条 电力监管机构对电力企业、电力调度机构违反国家有关全额收购可再生能源电量规定的行为及其处理情况，可以向社会公布。

第四章　法律责任

第十九条　电力监管机构工作人员未依照本办法履行监管职责的，依法追究其责任。

第二十条　电网企业、电力调度机构有下列行为之一，造成可再生能源发电企业经济损失的，电网企业应当承担赔偿责任，并由电力监管机构责令限期改正；拒不改正的，电力监管机构可以处以可再生能源发电企业经济损失额一倍以下的罚款：

（一）违反规定未建设或者未及时建设可再生能源发电项目接入工程的；

（二）拒绝或者阻碍与可再生能源发电企业签订购售电合同、并网调度协议的；

（三）未提供或者未及时提供可再生能源发电上网服务的；

（四）未优先调度可再生能源发电的；

（五）其他因电网企业或者电力调度机构原因造成未能全额收购可再生能源电量的情形。

电网企业应当自电力监管机构认定可再生能源发电企业经济损失之日起 15 日内予以赔偿。

第二十一条　电力企业未按照国家有关规定进行电费结算、记载和保存可再生能源发电资料的，依法追究其责任。

第五章　附　　则

第二十二条　除大中型水力发电外，可再生能源发电机组不参与上网竞价。电量全额上网的水力发电机组参与电力市场相关交易,执行国家电力监管委员会有关规定。

第二十三条 发电消耗热量中常规能源超过规定比例的常规能源混合可再生能源发电项目,视同常规能源发电项目,不适用本办法。

第二十四条 本办法自 2007 年 9 月 1 日起施行。

国家发展改革委关于完善风力发电上网电价政策的通知

（2009 年 7 月 20 日）

各省、自治区、直辖市发展改革委、物价局：

为规范风电价格管理，促进风力发电产业健康持续发展，依据《中华人民共和国可再生能源法》，决定进一步完善我委印发的《可再生能源发电价格和费用分摊管理试行办法》（发改价格〔2006〕7 号）有关规定。现就有关事项通知如下：

一、规范风电价格管理

（一）分资源区制定陆上风电标杆上网电价。按风能资源状况和工程建设条件，决定将全国分为四类风能资源区，相应制定风电标杆上网电价。具体标准见附件。

今后新建陆上风电项目，包括沿海地区多年平均大潮高潮线以上的潮上滩涂地区和有固定居民的海岛地区，统一执行所在风能资源区的风电标杆上网电价。跨省区边界的同一风电场原则上执行同一上网电价，价格标准按较高的风电标杆上网电价执行。

（二）海上风电项目上网电价，今后将根据建设进程，由国务院价格主管部门另行制定。

（三）省级投资及能源主管部门核准的风电项目，要向国家发展改革委、国家能源局备案。

二、继续实行风电价格费用分摊制度

风电上网电价在当地脱硫燃煤机组标杆上网电价以内的部分，由当地省级电网负担；高出部分，通过全国征收的可再生能源电价附加分摊解决。脱硫燃煤机组标杆上网电价调整后，风电上网电价中由当地电网负担的部分要相应调整。

三、有关要求

（一）上述规定自2009年8月1日起实行。2009年8月1日之前核准的风电项目，上网电价仍按原有规定执行。

（二）各风力发电企业和电网企业必须真实、完整地记载和保存风电项目上网交易电量、价格和补贴金额等资料，接受有关部门监督检查。各级价格主管部门要加强对风电上网电价执行和电价附加补贴结算的监管，确保风电上网电价政策执行到位。

附件：

全国风力发电标杆上网电价表

全国风力发电标杆上网电价表资源区	标杆上网电价(元/kWh)	各资源区所包括的地区
Ⅰ类资源区	0.51	内蒙古自治区除赤峰市、通辽市、兴安盟、呼伦贝尔市以外其他地区；新疆维吾尔自治区乌鲁木齐市、伊犁哈萨克族自治州、昌吉回族自治州、克拉玛依市、石河子市
Ⅱ类资源区	0.54	河北省张家口市、承德市；内蒙古自治区赤峰市、通辽市、兴安盟、呼伦贝尔市；甘肃省张掖市、嘉峪关市、酒泉市
Ⅲ类资源区	0.58	吉林省白城市、松原市；黑龙江省鸡西市、双鸭山市、七台河市、绥化市、伊春市，大兴安岭地区；甘肃省除张掖市、嘉峪关市、酒泉市以外其他地区；新疆维吾尔自治区除乌鲁木齐市、伊犁哈萨克族自治州、昌吉回族自治州、克拉玛依市、石河子市以外其他地区；宁夏回族自治区
Ⅳ类资源区	0.61	除Ⅰ类、Ⅱ类、Ⅲ类资源区以外的其他地区

财政部、建设部关于加强可再生能源建筑应用示范管理的通知

（2007 年 2 月 13 日）

有关省、自治区、直辖市、计划单列市财政厅（局），建设厅（委、局）；新疆生产建设兵团财务局、建设局，财政部驻有关省、自治区、直辖市、计划单列市财政监察专员办事处：

根据《建设部、财政部关于推进可再生能源在建筑中应用的实施意见》（建科〔2006〕213 号）和《财政部、建设部关于可再生能源建筑应用示范项目资金管理办法》（财建〔2006〕460 号），为保证可再生能源建筑应用示范项目的顺利实施，用好、管好可再生能源建筑应用示范项目专项资金，现就加强示范工程项目管理的有关事项通知如下：

一、进一步提高对示范管理工作重要性的认识，加强对示范工作的组织领导

（一）组织实施示范将有效带动可再生能源在建筑领域的推广应用。在建筑领域推广应用太阳能、浅层地能等可再生能源，

是满足日益增长的建筑用能需求，促进建筑节能，提高建筑用能效率的现实要求。组织实施可再生能源建筑应用示范；将有助于带动市场需求；促进完善集成技术体系和技术标准，从而有效地推动可再生能源在建筑中的规模化运用。

（二）资金及项目管理工作，是关系示范成效的关键。目前可再生能源建筑应用系统集成技术仍较为落后，加强示范项目的后续管理，做好技术指导与监督管理，有助于保证太阳能、浅层地能在建筑中得到合理利用，确保示范工程的效果；有助于通过工程示范，总结经验，建立当地的技术标准与技术规范。加强对示范工程财政补助资金的管理，是保证补助资金使用的安全、规范与有效的基本要求。因此，资金及项目管理工作，直接关系着示范工程的成效。

（三）加强对示范管理工作的组织领导。地方建设和财政主管部门应确定专人，对当地可再生能源建筑应用示范项目进行管理和监督，要组织做好对当地示范管理提供技术支撑的工作。各地可再生能源建筑应用示范及推广一定要加强组织领导，结合当地的地质条件，稳步推进，切实防止污染地下水等问题发生。

二、及时拨付资金，确保专款专用，切实加强补助资金监督管理

（一）地方建设部门做好施工图专项审查。《可再生能源建筑应用示范项目实施方案报告》（以下简称《实施方案报告》）和《可再生能源建筑应用示范项目申请报告》（以下简称《申请报告》）已经专家评审并通过，要保证设计环节按《实施方案报告》与《申请报告》执行。设计单位应按照相关技术标准、《实施方

案报告》、《申请报告》进行设计并与检测机构进行沟通，做好检测点的预留工作。检测机构认定办法另行通知。审图机构应依据项目承担单位提供的设计文件、《实施方案报告》及《申请报告》等对可再生能源建筑应用示范项目进行专项审查，并提交专项审查报告。地方建设部门根据专项审查报告，并组织专家对技术路线和方案等进行核查后，对达到《实施方案报告》要求的，出具审核同意意见；达不到要求的，责令示范项目承担单位重新修改施工图设计，另行组织审查。对因特殊情况，需要更改《实施方案报告》内容的，须及时报告财政部、建设部。

（二）地方财政部门组织复核，并及时拨付补助资金。对示范项目是否具备拨款条件，财政部门予以复核，复核内容包括：项目是否具备地方建设部门出具的对审核同意意见；示范项目实际采用的技术支持单位、设备服务商是否与《实施方案报告》、《申请报告》相一致；建筑设计是否达到节能标准，相关设备是否达到国家规定的能效标准等。对通过复核的示范项目，要及时拨付补助资金；补助资金要专项用于购买、安装相关设备等可再生能源建筑应用方面的必需支出。地方财政部门要将补助资金拨付情况及时报告财政部，同时抄送财政部驻当地财政监察专员办事处。

（三）项目承担单位收到补助资金后；必须专账核算，对非经营性建设项目的财政补助按财政拨款有关规定执行，对经营性建设项目的财政补助作为资本公积管理。

（四）财政部驻各地财政专员办事处（以下简称专员办）按属地原则对补助资金进行核查，核查内容包括：

1. 项目承担单位收到补助资金是否专账核算；

2. 补助资金是否专款专用;

3. 地方财政部门是否滞留补助资金;

4. 与补助资金管理、使用有关的其他事项;

对核查发现的问题,除按《财政违法行为处罚处分条例》(国务院令第427号)等有关法律、法规处理、处罚外,核查结果还作为拨付剩余50%补助资金的依据。

三、加强过程控制与管理,确保工程质量

(一)项目承担单位应组织做好工程施工及监理。项目承担单位选择具有相应资质的施工单位、监理单位进行施工和监理。施工单位应严格按照审查合格的施工图设计文件进行施工,应按照设计要求预留检测点,为后期检测评估工作做好准备。监理单位应严格按照审查合格的施工图设计文件和监理合同实施监理,对进入施工现场的相关材料、设备等进行查验,保证产品说明书和产品标识上注明的性能指标符合设计要求。

(二)地方建设、财政部门要切实加强对示范项目实施过程的监管。地方建设、财政部门应在施工过程中,组织好对节能材料质量、设备产品性能、检测点预留等方面的监督检查,要联合当地工程质量检测机构,根据示范工程的进展情况和特殊需要,对示范工程现场和资金使用情况进行现场检查。对示范项目实施过程中出现的问题要及时提出处理意见,并监督相关责任单位落实。要注意总结经验,为制定技术标准及技术规范奠定基础。地方建设、财政部门应于每年5月15日、11月15日分两次向财政部、建设部报告项目实施进展情况,同时抄送当地专员办。

(三)根据示范工程进度,财政部、建设部对示范项目进行不

定期的监督检查。根据需要，还将委托组织专家对示范项目进行技术指导，提出优化解决方案，帮助解决施工过程中的问题。

四、严格检测，根据评估和核查结果，实施激励与约束相结合的机制

（一）地方建设、财政部门组织做好项目检测及评估。示范工程竣工后，项目承担单位应先对项目进行预验收，在经地方程序审查后，建设部、财政部委托具备资质的检测机构对示范工程进行现场检测，检测机构负责对可再生能源建筑应用示范工程进行能效检测，出具检测报告，并对检测报告的真实性、准确性负责。地方建设、财政部门根据检测报告，并结合技术先进、适用可行、经济合理和示范推广等方面组织验收评估，并将验收评估报告报建设部、财政部，同时抄送专员办。

（二）以检测评估和专员办对补助资金的核查结果为依据，确定拨付剩余50%补助资金。建设部、财政部将制定示范工程验收标准。财政部、建设部组织专家组对示范工程评估验收情况进行复核。项目单位应在项目竣工后3日内报告专员办，专员办应在收到报告后20日内，将对补助资金的管理、使用情况的核查结果上报财政部。财政部、建设部将根据检测评估复核结果与资金核查结果，确定拨付剩余50%补助资金。对达到有关标准要求和专员办核查没有发现问题的，财政部将全额拨付剩余50%资金；对未达到标准或专员办核查发现截留、挪用等违法违纪问题的示范项目，将核减补助额度或不予拨付剩余50%补助资金。

（三）地方建设主管部门应加强对示范工程运行能耗的监

督、管理。验收评估完以后，示范工程的承担单位或其委托的运行管理单位应建立、健全可再生能源建筑应用的管理制度和操作规程，对建筑物用能系统进行监测、维护，并逐级上报建筑能耗统计报告。

五、积极做好示范工程的经验总结及推广

（一）注意总结当地经验，完善可再生能源建筑应用公共服务体系。地方建设、财政部门要根据示范工程情况，注意研究太阳能、浅层地能的地区适用性，为推广使用地下水源热泵技术等提供依据；研究形成热泵等设备的可持续维护管理模式；研究建立起具体的技术标准及技术规范等。

（二）积极探索，为在建筑领域推广可再生能源打好基础。地方建设、财政主管部门应结合工程示范对管理机制、国家激励政策等提出建议，及时报建设部和财政部，为更大范围地在建筑领域推广应用可再生能源打好基础。